Silencio

THICH NHAT HANH

Silencio

El poder de la quietud en un mundo ruidoso

Urano

Argentina – Chile – Colombia – España
Estados Unidos – México – Perú – Uruguay

Título original: *Silence – The Power of Quiet in a World Full of Noise*
Editor original: HarperOne An Imprint of HarperCollins*Publishers*, New York
Traducción: Núria Martí

1.ª edición Enero 2024

ISBN: 978-84-18714-43-6
E-ISBN: 978-84-9944-938-8
Depósito legal: M-31.032-2023

Fotocomposición: Ediciones Urano, S.A.U.
Impreso por Rodesa, S.A. – Polígono Industrial San Miguel
Parcelas E7-E8 – 31132 Villatuerta (Navarra)

Impreso en España – *Printed in Spain*

índice

introducción

Pasamos gran parte de nuestra vida buscando la felicidad sin ver que el mundo de nuestro alrededor está lleno a rebosar de maravillas. Estar vivos y caminar por la Tierra es todo un milagro y, sin embargo, la mayoría de las personas persiguen una cosa tras otra para gozar de una mejor situación. La belleza nos está llamando cada día, a cada hora, pero raras veces le prestamos oídos.

El silencio interior es esencial para poder oír la llamada de la belleza y responder a ella. Si en nuestro interior no hay silencio —si nuestra mente, nuestro cuerpo, están llenos de ruido— no oiremos la llamada de la belleza.

En nuestra cabeza está sonando sin cesar una radio, la del PSP: Pensar Sin Parar. Nuestra mente está llena de ruido, por eso no podemos oír la llamada de la vida, la llamada del amor. Nuestro corazón nos está llamando, pero no lo oímos. No tenemos tiempo para escucharlo.

La plena conciencia es la práctica que silencia el ruido de nuestro interior. Sin ella nos dejaremos arrastrar por una cosa tras otra. A veces nos dejamos llevar por el arrepentimiento y el pesar relacionados con el pasado. Al venirnos a la cabeza recuerdos y vivencias de antaño, revivimos una y otra vez el sufrimiento que nos causaron. Es fácil quedarnos apresados en el pasado.

También nos dejamos llevar por el futuro. Una persona que esté preocupada y asustada por el futuro está tan atrapada en él como otra anclada en el pasado. La ansiedad, el miedo y la incertidumbre que nos provoca el futuro nos impide oír la llamada de la felicidad. De modo que también nos quedamos apresados en el futuro.

Aunque intentemos vivir el presente, muchas personas tenemos la cabeza en otra parte y creemos que nos falta algo, sentimos un vacío en nuestro interior. Anhelamos o esperamos que ocurra algo que nos alegre la vida. Algo un poco más excitante, porque nuestra situación actual nos parece aburrida: una rutina en la que no pasa nada interesante.

La plena conciencia se describe como una campana que al sonar nos hace detener y escuchar en silencio. Podemos usar una campanilla o cualquier otra cosa que nos ayude a no dejarnos llevar por el ruido exterior ni interior. Al oír el sonido de la campana, te detienes. Te concentras en la inhalación y en la exhalación, haciendo espacio para el silencio. Te dices: «Al inhalar, sé que estoy inhalando». Al inhalar y exhalar de manera consciente y llevar la atención a la respiración, silencias el ruido que hay dentro de ti: el parloteo sobre el pasado y el futuro, y el deseo de algo más.

Respirar durante dos o tres segundos conscientemente te permite darte cuenta de que estás vivo, inhalando. Que estás aquí. Que existes. El ruido de tu interior desaparece y notas una espaciosidad inmensa, muy poderosa y elocuente. Puedes responder a la llamada de la belleza que te rodea: «Estoy aquí. Soy libre. Te oigo».

¿Qué significa «Estoy aquí»? Significa «Existo. Estoy realmente aquí, porque en lugar de estar pensando en el pasado o en el futuro, de estar ensimismado en mis pensamientos, en el ruido interior, en el ruido exterior, estoy aquí». Para *existir* de verdad tienes que estar libre de pensamientos, ansiedad, miedo y deseos. «Soy libre» es una afirmación poderosa, porque muchas personas no somos en realidad libres. No tenemos la libertad que nos permite oír, ver y simplemente ser.

sentados juntos en silencio

Vivo en un centro de retiro situado al suroeste de Francia donde practicamos un tipo de silencio llamado noble silencio. La práctica es fácil de realizar. Cuando hablamos, hablamos. Pero si hacemos cualquier otra cosa —como comer, caminar o trabajar— simplemente la hacemos, aunque sin hablar a la vez. La llevamos a cabo en un gozoso noble silencio. Así, al ser libres, podemos oír la llamada más profunda de nuestro corazón.

Hace poco hubo un día en el que una gran cantidad de personas, tanto monacales como laicas, almorzamos juntos al aire libre sentados sobre la hierba. Primero fuimos cada uno a servirnos la comida y luego nos sentamos en grupo. Formamos círculos concéntricos, el más pequeño dentro de otro más grande y así sucesivamente, hasta crear un gran círculo de personas sentadas en silencio. Sin decir una sola palabra.

Fui el primero en sentarme. Me senté y empecé a practicar la respiración consciente para silenciar mi ser. Escuché los pájaros y el viento, y disfruté de la belleza de la primavera. No estuve esperando a que los demás llegaran y se sentaran para poder empezar a comer. Simplemente gocé de estar sentado en silencio en ese lugar durante veinte minutos más o menos, mientras los demás se servían la comida y se sentaban a mi alrededor.

Entonces se hizo el silencio. Pero sentí que ese silencio no era lo bastante profundo, quizá porque la gente se había distraído al ir a servirse la comida, regresar con el plato lleno y sentarse sobre la hierba. Yo seguí sentado en silencio, observando.

Llevaba una campanilla conmigo y cuando todo el mundo se acabó de sentar, invité a la campanilla a sonar.

Como habíamos pasado una semana juntos practicando lo de inhalar y exhalar de manera consciente al oír el tintineo de la campanilla, todos la escuchamos con gran atención. Al hacer sonar la campanilla de la plena conciencia, noté que ahora reinaba un silencio muy distinto del otro. Era un silencio auténtico, porque todo el mundo había dejado de pensar. Nos concentramos en la inspiración y en la espiración. Respiramos juntos y nuestro silencio colectivo generó un campo energético potentísimo. Esta clase de silencio se llama «silencio atronador», porque es muy elocuente y poderoso. En medio de ese silencio oí el viento y los pájaros con mucha más intensidad. Antes también los oía, pero de distinta manera, porque el silencio que se había creado no era tan profundo como este.

La práctica de dejar que el silencio se haga en ti para vaciarte de todo el ruido interior no es difícil. A base de práctica, lo conseguirás. Cuando surge el noble silencio, puedes caminar, estar sentado, o disfrutar de la comida. Este tipo de silencio te da una libertad absoluta que te permite disfrutar de estar vivo y apreciar todas las maravillas de la vida. Te ayuda a curarte, tanto a nivel mental como físico. En ese silencio eres capaz de *ser*, de estar ahí, vivo. Porque eres realmente libre: libre del arrepentimiento y el sufrimiento concernientes al pasado, libre del miedo y la incertidumbre acerca del futuro, libre de todo tipo de cháchara mental. Dejar que surja esta clase de silencio en ti cuando estás solo es muy beneficioso, y permanecer en silencio de ese modo *juntos* es un estado especialmente dinámico y curativo.

el sonido del sin sonido

El silencio se suele describir como la ausencia de sonido, sin embargo también es un sonido muy poderoso. Recuerdo que el invierno del 2013-2014 no fue demasiado frío en Francia, pero oímos que en Estados Unidos hacía un frío glacial. Hubo más tormentas de nieve de las habituales y a veces llegó a hacer una temperatura de 20 grados bajo cero. Vi una fotografía de las Cataratas del Niágara de los días que hizo más frío. El agua ya *no podía* seguir precipitándose; estaba congelada. Vi la imagen y me quedé muy impresionado. La cascada de agua se había detenido por completo, y el sonido que emitía también.

Hace unos cuarenta años mientras estaba en Chiang Mai, al noreste de Tailandia, en un retiro para jóvenes, me alojé en una cabaña que había cerca de un riachuelo rodeado de rocas, donde siempre se oía el sonido del agua precipitándose. Disfrutaba respirando, lavando la ropa y haciendo la siesta sobre las piedras enormes de la orilla del riachuelo. Oía el sonido del agua día y noche. Contemplando los arbustos y los árboles de mi alrededor me dije: «Desde que nacieron han estado escuchando este sonido. Supón que este sonido cesara y que por primera vez oyeran el sin sonido: el silencio». Imagínatelo, si te es posible. De pronto el agua deja de correr y todas esas plantas que desde que nacieron han estado oyendo, día y noche, el sonido del agua precipitándose, ya no lo oyen más. Piensa en lo sorprendidas que estarían al oír, por primera vez en toda su vida, el sonido del sin sonido.

los cinco sonidos verdaderos

Bodhisattva es el término budista para designar a un ser de una compasión inmensa que dedica su vida a aliviar el sufrimiento de los demás. En el budismo se habla de Avalokitésvara, el Bodhisattva que Escucha Profundamente. Este nombre significa «el que escucha profundamente el clamor del mundo».

Según la tradición budista, Avalokitésvara puede escuchar toda clase de sonidos. También puede emitir los cinco tipos distintos de sonidos que curan el mundo. Si logras encontrar el silencio en ti, podrás oír esos cinco sonidos.

El primero es el Sonido Maravilloso, el sonido de las maravillas de la vida que te están llamando sin cesar. Es el sonido de los pájaros, de la lluvia…

Dios es un sonido. El creador del

Cosmos es un sonido. Todo

empieza con el sonido.

El segundo sonido es el Sonido del que Observa el Mundo. Es el sonido del escuchar, el sonido del silencio.

El tercer sonido es el Sonido de Brahma. El sonido trascendental, *om,* que tiene una larga historia en la espiritualidad hindú. Según esta tradición, el sonido *om* tiene el poder innato de crear el mundo. El cosmos, el mundo, el universo se crearon por medio de este sonido. En el Evangelio de San Juan, de la tradición cristiana, aparece la misma idea: «Al principio era el Verbo» (San Juan, 1,1). Según los Vedas, los textos hindúes más antiguos, el mundo se originó de la palabra *om.* En la tradición védica de la India este sonido es la realidad suprema, o Dios.

Muchos astrónomos modernos han acabado creyendo en algo parecido. Han estado buscando los orígenes del tiempo, los orígenes del cosmos, y tienen la hipótesis de que el universo surgió de la «gran explosión».

El cuarto sonido es el sonido de la Marea Alta. El sonido simboliza la voz del Buda. Las enseñanzas del Buda disipan las ideas falsas y la aflicción, y lo transforman todo. Este sonido es penetrante y efectivo.

El quinto sonido es el Sonido que Trasciende Todos los Sonidos del Mundo. Es el sonido de la impermanencia; nos recuerda que no debemos quedarnos atrapados en los sonidos del mundo ni apegarnos a ellos. Muchos eruditos han hecho que las enseñanzas del Buda parezcan complicadas y difíciles de entender. Pero el Buda hablaba con gran claridad y nunca se quedó atrapado en las palabras. De modo que si una enseñanza es demasiado complicada, no es el sonido del Buda. Si lo que estás oyendo es demasiado estridente, ruidoso o enrevesado, no es la voz del Buda. Vayas donde vayas, puedes oír este quinto sonido. Aunque estés en la cárcel, puedes oír el Sonido que Trasciende Todos los Sonidos del Mundo.

tu mayor preocupación

Cuando consigues silenciar todo el ruido interno, cuando se hace el silencio, un silencio atronador, en ti, empiezas a oír la llamada más profunda en tu interior. Tu corazón te está llamando. Te está intentando decir algo, pero aún no has podido oírlo al estar tu mente llena de ruido. Has estado distraído con otras cosas constantemente, a todas horas. Has estado lleno de pensamientos, sobre todo de pensamientos negativos.

En la vida cotidiana muchas personas pasamos la mayor parte del tiempo buscando sensaciones agradables —tanto en el sentido material como afectivo— para simplemente sobrevivir. Dedicamos todo nuestro tiempo a ello. Son las llamadas *preocupaciones cotidianas.* Nos preocupan a diario: cómo tener suficiente dinero, comida, cobijo y otras cosas materiales. También tenemos preocupaciones afectivas: si una determinada persona nos ama o no nos ama, si un trabajo es seguro o no lo es. Estamos todo el día preocupados por este tipo de cosas. Tal vez estemos intentando encontrar una relación de pareja lo bastante buena como para que dure, una que no sea demasiado complicada. Buscamos algo en lo que confiar.

La mayoría dedicamos el 99,9 por ciento de nuestro tiempo a preocuparnos por esta clase de cosas —las comodidades materiales y las comodidades afectivas— y es lógico, porque para sentirnos seguros nuestras necesidades básicas tienen que estar cubiertas. Pero nos preocupamos demasiado, porque lo hacemos por muchas, muchísimas otras cosas aparte de nuestras necesidades básicas. Estamos a salvo físicamente, tenemos la barriga llena, un techo bajo el que cobijarnos y una familia maravillosa, y aún así seguimos preocupándonos sin cesar.

Tu mayor preocupación, como nos ocurre a la mayoría, quizá sea una de la que no te has dado cuenta, una que no has oído en tu interior. La *mayor preocupación* de todos no tiene nada que ver con el aspecto material o afectivo. ¿Qué queremos hacer con nuestra vida? Esta es la cuestión más importante. Estamos aquí, pero ¿*por qué* estamos aquí? ¿Quiénes somos como individuos? ¿Qué queremos hacer con nuestra vida? Estas son las preguntas que normalmente no nos planteamos por falta de tiempo o por no quererles hacer un hueco.

No son solo preguntas filosóficas. Si no logramos responderlas, nuestra mente no estará en calma ni seremos felices, porque la felicidad no es posible sin una cierta paz. Muchos creemos no poder responderlas nunca. Pero la plena conciencia te ayudará a lograrlo cuando se haya hecho un cierto silencio en ti. Descubrirás las respuestas a algunas de estas preguntas y oirás la llamada más profunda de tu corazón.

Cuando te preguntas: «¿Quién soy?» —si lo haces con el suficiente tiempo y concentración— tal vez descubras algunas respuestas sorprendentes. Quizá veas que eres la continuación de tus antepasados. Tus padres y tus antepasados están presentes en cada célula de tu cuerpo, tú eres una continuación suya. No estás separado de ellos. Si eliminaras a tus antepasados y a tus padres de ti, «tú» desaparecerías.

Quizá veas que estás hecho de elementos, como el agua, por ejemplo. Si eliminaras el agua de ti, «tú» desaparecerías. Estás hecho de tierra. Si eliminaras el elemento tierra de ti, «tú» desaparecerías. Estás hecho de aire. Necesitas el aire desesperadamente, sin él no sobrevivirías. Si eliminaras el elemento aire de ti, «tú» desaparecerías. Y en ti también hay el elemento fuego, el elemento del calor, el elemento de la luz. Sin la luz del sol no crecería nada en la Tierra. Si lo sigues observando, verás que estás hecho de sol, una de las estrellas más grandes de la galaxia. Y, como ya sabes, la Tierra, al igual que tú, está hecha de estrellas. De modo que eres las estrellas. En una noche clara, si alzas la vista verás que formas parte de las estrellas del cielo. Tú no eres solo el cuerpo diminuto que crees ser.

no necesitas perseguir una cosa tras otra

La plena conciencia te da el espacio interior y la quietud para mirar dentro de ti, para descubrir quién eres y qué quieres hacer con tu vida. Ya no sentirás el vano deseo de perseguir una cosa tras otra. Lo has estado haciendo; has estado buscando algo porque creías que era fundamental para encontrar la paz y la felicidad. Has intentado conseguir esta condición o aquella otra para ser feliz.

Has creído que no tenías aún todas las condiciones necesarias para serlo, por eso has adquirido como tanta otra gente la costumbre de estar persiguiendo sin cesar una cosa tras otra. «Ahora no puedo sentirme en calma, no puedo detenerme ni disfrutar de las cosas, porque todavía no tengo todas las condiciones para ser feliz.» Pero en realidad estás destruyendo la alegría natural de vivir a la que tienes derecho. La vida está llena de maravillas, como los sonidos maravillosos. Si logras *estar* aquí, en el presente, si logras ser libre, serás feliz en ese mismo instante. No necesitas perseguir nada para serlo.

La práctica de la plena conciencia

es muy sencilla.

———

Te detienes, respiras y aquietas la mente.

Vuelves a tu verdadero hogar

para disfrutar del aquí y el ahora

a cada momento.

———

Todas las maravillas de la vida ya están aquí. Te están llamando. Si eres capaz de escucharlas podrás dejar de perseguir una cosa tras otra en busca de la felicidad. Lo que necesitas, lo que *todos* necesitamos, es el silencio. Aquieta tu mente para escuchar los sonidos maravillosos de la vida. Así podrás empezar a vivir plenamente tu vida de verdad.

1

una ración diaria de ruido

A no ser que vivas solo en medio de las montañas sin electricidad, lo más probable es que estés absorbiendo un montón de ruido e información a lo largo del día, sin interrupción. Aunque nadie hable contigo ni escuches la radio o cualquier otro aparato, las palabras y los sonidos te llegan de vallas publicitarias, llamadas telefónicas, mensajes de texto, redes sociales, pantallas de ordenador, anuncios, folletos de propaganda y de muchas otras formas. A veces es imposible encontrar un rincón en la zona de embarque de un aeropuerto sin una pantalla de televisor dando las noticias de actualidad a todo volumen. Muchas personas se dirigen por la mañana al trabajo absorbiendo los tuits, los mensajes de texto, las noticias, los videojuegos y las actualizaciones que aparecen en su móvil.

Hasta en los escasos momentos en los que no nos llegan sonidos, mensajes de texto o cualquier otra clase de información del exterior, nuestra cabeza está llena de un torrente constante de pensamientos. ¿Cuántos minutos al día dedicas a estar en silencio de verdad, si es que lo haces?

El silencio es esencial. El silencio es tan

necesario como el aire que respiras,

como la luz para las plantas.

Si tu mente está repleta de

palabras y pensamientos,

no te quedará un espacio para ti.

———————

Las personas que viven en una ciudad están acostumbradas a un cierto nivel de ruido ambiental. En las áreas urbanas siempre se escuchan gritos, bocinazos o música retumbando. El ruido constante puede acabar volviéndose incluso tranquilizador. Tengo amigos que cuando van al campo el fin de semana o a un retiro de meditación, el silencio que reina en el lugar les asusta e inquieta. No se sienten seguros ni cómodos en un paraje tan silencioso, porque están acostumbrados a oír un constante ruido de fondo.

Las plantas no pueden crecer sin luz, las personas no pueden vivir sin aire. Todo lo que está vivo necesita espacio para crecer y desarrollarse.

el miedo al silencio

Me parece que a muchas personas les da miedo el silencio. Siempre están enfrascadas en algo —los mensajes de texto, la música, la radio, el televisor o los pensamientos— para llenar el espacio. Si la quietud y el espacio son tan necesarios para nuestra felicidad, ¿por qué no nos reservamos más tiempo en nuestra vida para ellos?

Una de mis estudiantes más antiguas tiene una pareja muy cariñosa, sabe escuchar y además no habla en exceso, pero cuando está en casa necesita tener siempre la radio o el televisor encendidos, y le gusta desayunar leyendo el periódico.

Conozco a una mujer que tiene una hija a la que le encanta meditar sentada en el templo zen del barrio. Un día, su hija la animó a probarlo. Le dijo: «Es muy fácil, mamá. No hace falta que te sientes en el suelo, puedes hacerlo en una silla. No es necesario que hagas nada más, salvo estar sentada en quietud». A lo que la mujer le respondió con gran franqueza: «¡Justamente eso es lo que más miedo me da!»

Podemos sentirnos solos aunque estemos rodeados de un montón de gente. Nos sentimos solos pese a estar juntos. Hay un vacío en nuestro interior. Como nos incomoda, intentamos llenarlo a toda costa y hacerlo desaparecer. La tecnología nos ofrece muchos aparatos para estar «conectados». En la actualidad *siempre* estamos conectados, pero seguimos sintiéndonos solos. Consultamos el correo electrónico y las redes sociales muchas veces al día. Enviamos correos o mensajes de texto uno tras otro. Queremos compartir, recibir. Nos pasamos el día entero intentando estar conectados.

¿De qué tenemos miedo? Tal vez sintamos un vacío, una sensación de aislamiento, de tristeza, de desasosiego. Quizá estamos desolados y creemos que nadie nos quiere. Que nos falta algo importante en la vida. Algunas de esas sensaciones son muy antiguas y nos han estado acompañando siempre, bajo toda nuestra actividad y pensamientos. Intentamos evadirnos de lo que sentimos con un montón de estímulos. Pero cuando se hace el silencio, todas esas emociones afloran con gran claridad.

un bufé de estímulos

Los sonidos de nuestro alrededor y los pensamientos que nos vienen a la cabeza continuamente se pueden considerar una especie de alimento. Estamos familiarizados con la comida que masticamos y tragamos. Pero no es la única clase de alimento que los humanos consumimos, también hay otros. Lo que leemos, las conversaciones que mantenemos, los programas que miramos por la tele, los videojuegos a los que jugamos, y nuestras preocupaciones, cavilaciones y angustias también son una especie de alimento. No es de extrañar que a menudo no haya espacio en nuestra mente para la belleza y el silencio, porque lo estamos llenando a todas horas con muchas otras clases de alimentos.

Hay cuatro clases de alimentos que consumimos a diario. En el budismo los llamamos los Cuatro Nutrientes: los alimentos comestibles, las impresiones sensoriales, las voliciones y la conciencia, tanto a nivel individual como colectivo.

Los alimentos comestibles son la comida que ingieres cada día. La segunda clase de alimento, las impresiones sensoriales, son las experiencias sensoriales que captas con los ojos, los oídos, la nariz, la lengua, el cuerpo y la mente. Como, por ejemplo, lo que oyes, lees, hueles y tocas. Así como las conversaciones telefónicas, los mensajes de texto, el sonido del autobús que se cuela por la ventana de tu casa, y la valla publicitaria que lees mientras vas por la calle. Aunque todas estas cosas no sean alimentos comestibles, son información e ideas que recibe tu mente y que consumes a diario.

La tercera clase de alimento es la volición. La volición es tu fuerza de voluntad, tus inquietudes, tus deseos. Es un tipo de alimento porque «sustenta» tus decisiones, tus acciones y tus movimientos. Sin volición, sin el deseo de hacer algo, no te moverías, simplemente te marchitarías.

La cuarta clase de alimento es la conciencia. Este tipo de comida incluye tu conciencia individual y el modo en que tu mente se nutre a sí misma y alimenta tus pensamientos y acciones. También incluye la conciencia colectiva y cómo esta te afecta.

Todos estos alimentos pueden ser sanos o malsanos, nutritivos o tóxicos, dependiendo de lo que consumas, de la cantidad consumida y de lo consciente que seas del consumo. Por ejemplo, a veces comemos comida basura que nos sienta mal o bebemos demasiado alcohol cuando estamos disgustados por algo para evadirnos, aunque este tipo de consumo nos haga sentir aún peor más tarde.

Con los otros nutrientes sucede lo mismo. En cuanto al alimento sensorial, tal vez sepamos que estamos consumiendo información saludable y esclarecedora, o por otro lado podemos intentar huir de nuestro sufrimiento con videojuegos, películas, revistas o incluso dedicándonos a los chismorreos. La volición también puede ser sana (una motivación constructiva) o malsana (deseo compulsivo y obsesión). Asimismo, la conciencia colectiva puede ser sana o malsana. Piensa hasta qué punto te afecta el estado de ánimo o la conciencia del grupo del que formas parte, tanto si ese grupo es solidario, feliz, colérico, chismoso, competitivo o indiferente.

Como cada tipo de alimento te afecta enormemente, es importante ser consciente de lo que consumes y de la cantidad consumida. Es fundamental para protegerte. Si no te proteges, absorberás demasiadas toxinas. Si no prestas atención, te llenarás sin darte cuenta de percepciones y sonidos tóxicos que te harán enfermar. La plena conciencia es como una crema solar que protege tu sensible piel de recién nacido. Sin ella, se cubriría de ampollas y quemaduras. La protección de la plena conciencia te permite estar sano y seguro y absorber solo los nutrientes que te ayudan a progresar.

la comida comestible

La mayoría de personas somos conscientes de que lo que comemos afecta a cómo nos sentimos. La comida basura nos puede hacer sentir cansados, malhumorados, nerviosos y culpables, y solo nos deja satisfechos momentáneamente. En cambio, las frutas y las verduras nos hacen sentir vitales, sanos y bien alimentados. A menudo no comemos porque tengamos hambre, sino para consolarnos o huir de nuestros sentimientos molestos. Supón que te sientes preocupado o solo. Como no te gusta esa sensación, abres la nevera para buscar algo que llevarte a la boca. Sabes que no tienes hambre, que no *necesitas* comer. Pero aun así decides tomar algo para evadirte de lo que estás sintiendo.

Cuando organizamos un retiro en cualquiera de nuestros centros, tenemos tres comidas vegetarianas al día de lo más sanas, preparadas con amor y atención. Y aun así, algunos participantes se preocupan por la comida. Tengo un amigo que cuando asistió por primera vez a un retiro de plena conciencia no pensaba más que en la siguiente comida. Los dos primeros días del retiro estuvo sintiéndose hambriento todo el tiempo y detestaba tener que hacer cola para servirse la comida. Temía que se acabara, aunque eso nunca ocurriera. Dejaba siempre la actividad que estaba haciendo antes de la hora para ser el primero de la cola.

Al tercer día de retiro, mientras compartía con un grupo sus sentimientos sobre su padre (que había fallecido hacía poco), recibió mucho apoyo de sus compañeros. El grupo terminó la actividad un poco más tarde de lo habitual, pero cuando él se puso en la cola para servirse la comida, descubrió que ya no estaba inquieto. Sentía que habría bastante comida para todos y que no se acabaría. Me alegro de que aquel día ¡no se acabara el arroz ni las verduras!

las impresiones sensoriales

El alimento sensorial es el que absorbemos con los sentidos y la mente: todo cuanto vemos, olemos, tocamos, saboreamos y oímos. El ruido exterior forma parte de esta categoría, como las conversaciones, las diversiones y la música. Lo que leemos y la información que recibimos también es comida sensorial.

El alimento sensorial que consumimos afecta incluso más a cómo nos sentimos, que la comida comestible. Tal vez nos pongamos a leer una revista o a navegar por Internet, y miramos imágenes y escuchamos música. Queremos estar conectados e informados. Pasar un rato agradable. Estas razones para consumir comida sensorial son correctas, pero a menudo lo que *en realidad* queremos en esos momentos es evadirnos para no sentir el sufrimiento en nuestro interior. Cuando escuchamos música, leemos un libro o hojeamos el periódico, normalmente no lo hacemos porque necesitemos realizar esta actividad o para recibir información. A menudo lo hacemos de forma mecánica, quizá por haber adquirido esa costumbre o por querer «matar el tiempo» y llenar el desagradable vacío que sentimos. Tal vez lo hagamos para no estar con nosotros mismos. A muchas personas les da miedo volver a su verdadero hogar porque no saben qué hacer con el sufrimiento que les carcome por dentro. Por eso siempre están intentando consumir más y más impresiones sensoriales.

Eres lo que sientes y percibes.

Si estás enojado, eres enojo.

Si estás enamorado, eres amor.

Si miras la cumbre nevada de una montaña,

eres la montaña. Mientras

sueñas, eres el sueño.

Un adolescente me confesó hace poco que se pasa como mínimo ocho horas al día enganchado a los videojuegos. No puede evitarlo. Al principio lo hacía para evadirse, porque la vida no tenía sentido para él y además creía que su familia, los profesores y la sociedad no le entendían. Pero ahora se ha vuelto adicto a ellos. No piensa más que en los videojuegos, incluso cuando está haciendo otras cosas. Muchas personas nos sentimos identificadas hasta cierto punto con esta historia, intentamos llenar la soledad y el vacío que sentimos con impresiones sensoriales.

Nuestros sentidos son como ventanas que dan al mundo exterior. Muchas personas las dejan abiertas de par en par a todas horas, permitiendo que las imágenes y los sonidos del mundo les invadan y penetren, aumentando el sufrimiento de su triste y desasosegado ser. Se sienten terriblemente vacías, solas y asustadas por dentro. ¿Te has descubierto alguna vez mirando una película malísima por la tele sin ser capaz de apagar el televisor? El ruido ensordecedor y el estrépito de los disparos son de lo más desagradable y, sin embargo, no eres capaz de levantarte y desconectarlo. ¿Acaso no quieres encontrar un poco de paz dentro de ti y cerrar las ventanas de los sentidos? ¿Acaso te da miedo el aislamiento, el vacío y la soledad que quizá descubras en tu interior al estar sin hacer nada?

Cuando miramos un programa malo de la tele, somos el programa malo de la tele. Podemos ser cualquier cosa que queramos, incluso sin una varita mágica. ¿Por qué abrimos entonces nuestras ventanas a los filmes y los programas de televisión de pésima calidad, a películas rodadas por productores sensacionalistas que solo quieren ganar dinero fácil, que nos agitan el corazón, nos crispan y nos devuelven a la vida cotidiana exhaustos?

Las conversaciones también son un tipo de alimento sensorial. Supón que hablas con una persona llena de amargura, envidia o deseo. Durante la conversación absorbes su energía. A decir verdad, la mayoría de los alimentos sensoriales que consumimos nos hacen sentir peor en lugar de mejor. Nos descubrimos pensando cada vez más y más en que no damos la talla, que necesitamos comprar algo o cambiar algo en nosotros para sentirnos mejor.

Pero siempre puedes decidir proteger tu paz interior. Aunque esto no significa mantener las ventanas de los sentidos cerradas a cal y canto a todas horas, ya que el mundo al que llamamos «exterior» está lleno de milagros. Abre tus ventanas a esos milagros. Pero observa cada uno con la luz de la atención plena. Incluso cuando estés sentado junto a un riachuelo de aguas cristalinas, escuchando una hermosa música, o mirando una película excelente, no te dejes llevar del todo por el riachuelo, la música o la película. Sigue siendo consciente de ti y de tu respiración. Con la luz del sol de la atención plena brillando en ti, evitarás la mayoría de los peligros y percibirás en toda su intensidad la pureza del agua, la armonía de la música y el alma del actor interpretando la película.

la volición

La volición, nuestra intención y motivación principal, es la tercera clase de alimento. Nos sustenta y le da sentido a nuestra vida. La mayor parte del ruido que nos rodea, ya sea de los anuncios, las películas, los videojuegos, la música o las conversaciones, nos dice lo que deberíamos estar haciendo, el aspecto que deberíamos tener, en qué consiste el éxito y quiénes deberíamos ser. Por culpa de todo ese ruido pocas veces prestamos atención a nuestro deseo verdadero. Actuamos, pero lo hacemos sin tener el espacio o la quietud que necesitamos para actuar *con intención*.

Si no tenemos un propósito en la vida, iremos a la deriva. Hay algunas personas a las que solo veo una vez al año. Cuando les pregunto qué han hecho el año anterior, muchas ni se acuerdan. A veces, los días, las semanas e incluso los meses transcurren en un suspiro, porque no somos conscientes de nuestra intención en la vida. A veces, parece como si nuestra única intención fuera que pasara un día más.

Siempre que actuamos, ya sea al dirigirnos a una tienda, llamar a un amigo, dar un paso, o ir a trabajar, lo hacemos impulsados por una intención, una motivación, tanto si somos o no conscientes de ello. El tiempo pasa muy deprisa; un día tal vez descubriremos que nuestra vida está tocando a su fin sin saber qué hemos hecho con ella. Quizá hayamos desperdiciado días enteros al estar llenos de enojo, miedo o envidia. Pocas veces nos ofrecemos el tiempo y el espacio para preguntarnos: *¿Estoy haciendo lo que más quiero hacer en la vida? ¿Sé siquiera lo que esto es?* El ruido retumbando en nuestra cabeza y a nuestro alrededor ahoga la «voz serena y queda» de nuestro interior.

Estamos tan ocupados haciendo «algo», que raras veces nos tomamos un momento para mirar en nuestro interior y ser conscientes de nuestros deseos más profundos.

La volición es una fuente enorme de energía. Pero no toda surge del corazón. Si solo pretendes hacerte rico o ser el que más seguidores tiene en Twitter, esto no hará que te sientas satisfecho en la vida. Muchas personas con un montón de dinero y poder no son felices, y además se sienten muy solas. No tienen tiempo de vivir su vida de verdad. No hay quien las entienda y ellas tampoco entienden a nadie.

Vive plenamente la vida como ser

humano al conectar con tu deseo

más profundo, y así sentirás que

formas parte de algo más grande.

Esto te motivará lo bastante como

para cambiar tu forma de ser y silenciar

el ruido que llena tu cabeza.

Puedes pasarte la vida escuchando los mensajes interiores y exteriores sin llegar a oír nunca la voz de tu deseo más profundo. No hace falta que seas un monje o un mártir para oírlo. Si tienes el espacio y el silencio para escucharte a fondo, descubrirás en ti el vivo deseo de ayudar a los demás, de ser afectuoso y compasivo, de transformar el mundo para mejor. Sea cual sea tu profesión —tanto si diriges una empresa como si eres camarero, profesor o cuidador—, saber con claridad y certeza cuál es tu propósito en la vida y cómo se refleja en tu trabajo, te producirá una gran satisfacción.

la conciencia individual

Aunque hagas un ayuno sensorial, aislándote de los ruidos y los estímulos del exterior, seguirás consumiendo una gran cantidad de alimento sensorial procedente de tu propia conciencia. Esta, junto con la conciencia colectiva, es la cuarta fuente de alimento.

Cuando prestas atención a ciertos elementos de tu conciencia, los estás consumiendo. Como en el caso de la comida comestible, lo que consumes con la conciencia puede ser saludable y sano, o tóxico. Por ejemplo, cuando tenemos pensamientos crueles o furibundos y los recreamos una y otra vez, estamos consumiendo una conciencia tóxica. Y cuando advertimos el hermoso día que hace o nos sentimos agradecidos por nuestra buena salud y el amor de quienes nos rodean, estamos consumiendo una conciencia sana.

Cada uno de nosotros es capaz de amar, perdonar, comprender y ser compasivo. Si sabes cultivar estos elementos en tu conciencia, esta se alimentará de ese tipo de comida sana que te hace sentir de maravilla y beneficia a los que te rodean. Al mismo tiempo, en la conciencia de todos también hay la capacidad de obsesionarse, preocuparse, desesperarse, sentirse solo y autocompadecerse. Si el alimento sensorial que consumes sustenta esos elementos negativos en tu conciencia —si lees publicaciones sensacionalistas, juegas con videojuegos violentos, pasas tiempo en la Red envidiando lo que han hecho otros o mantienes una conversación con malas intenciones—, la energía de la ira, la desesperanza o la envidia se volverá más fuerte en tu conciencia. Estarás cultivando esta clase de alimento malsano en tu propia conciencia. Incluso después de dejar de leer el libro de pésima calidad o de jugar al videojuego violento, tu mente seguirá reviviendo y consumiendo esos elementos tóxicos durante horas, días o semanas, porque habrán regado las semillas negativas en tu conciencia.

Hay plantas que te pueden hacer enfermar, como la cicuta o la belladona. Si las consumes, sufrirás. Normalmente no cultivamos este tipo de plantas en el jardín de nuestra casa. De igual modo, puedes decidir cultivar cosas sanas en tu conciencia que te sustenten en lugar de fomentar cosas tóxicas que te envenenarán y te harán sufrir.

Tanto si eres consciente de ello como si no, estás regando sin cesar una cosa u otra en tu mente: cosas que seguramente volverás a consumir más tarde. Lo que riegas y consumes sin darte cuenta puede aparecer en tus sueños. Tal vez se manifieste como algo que sacas a relucir en una conversación y luego te preguntes: «¡¿A santo de qué he dicho *eso*?!» Cuando no te fijas en lo que absorbes y cultivas en tu mente, puedes hacerte mucho daño a ti mismo y erosionar tus relaciones.

la conciencia colectiva

Además de la conciencia individual, también absorbemos la conciencia colectiva. Al igual que Internet se compone de muchas páginas web individuales, la conciencia colectiva está formada a su vez por conciencias individuales. Y cada conciencia individual contiene todos los elementos de la conciencia colectiva. La conciencia colectiva puede ser destructiva, como la violencia de una muchedumbre encolerizada o, de una manera más sutil, la hostilidad de un grupo prejuicioso o murmurador. Y por otro lado, al igual que la conciencia individual, también puede ser curativa, como cuando estás con amigos o miembros de tu familia afectuosos, o con desconocidos en una situación de aprecio mutuo, escuchando música, contemplando obras de arte o juntos en contacto con la naturaleza, por ejemplo. Cuando te rodeas de personas comprensivas y afectuosas por su escala de valores, te sustentan con su presencia y riegan las semillas de la comprensión y el afecto que hay en ti. Pero cuando te rodeas de personas chismosas y quejumbrosas que no hacen más que criticar al prójimo, absorbes esas toxinas.

Tenía un amigo músico que de joven había emigrado a California y que al hacerse mayor decidió regresar a Vietnam. Sus compatriotas le preguntaban desconcertados por qué había vuelto a su país: «En California podías comer y hacer lo que te apeteciera y, además, allí hay unos hospitales excelentes», le recalcaban. «Podías comprar cualquier instrumento de música que quisieras, tener todo lo que te viniera en gana. ¿Por qué has vuelto a Vietnam?» Él les respondía que en California estaba rodeado de expatriados llenos de odio y rabia, y que cada vez que le visitaban, le emponzoñaban con su resentimiento. No quería absorber toda esa rabia y amargura en los escasos y preciosos años que le quedaban de vida. Por eso había buscado un lugar en el que vivir rodeado de una comunidad más feliz y afectuosa.

Si vives en un barrio lleno de violencia, miedo, cólera y desesperación, consumirás la energía colectiva de la ira y el miedo aunque no quieras. Si vives en un barrio muy ruidoso, con bocinazos y alarmas sonando a todas horas, consumirás esa energía y ansiedad. A no ser que te veas obligado a vivir en esa clase de barrios, es mejor estar en un lugar más silencioso y sustentador. Incluso puedes crear un oasis de silencio en un ambiente ruidoso. Sé un agente positivo de cambio en el mundo.

Si te estás planteando cómo traer más silencio y espacio a tu vida para cultivar la felicidad, recuerda que nadie puede hacerlo solo. Es mucho más fácil crear un ambiente silencioso y saber apreciarlo cuando tienes un entorno que te apoya en ese sentido. Si no te es posible vivir en un ambiente más silencioso y tranquilo, rodéate lo máximo posible de personas que te ayuden a generar una energía colectiva de calma y compasión. Elegir con plena conciencia las personas de las que te rodeas es una de las claves para tener más espacio para ser feliz.

práctica:
un descanso sustentador

Cuando nos sentimos solos o preocupados, la mayoría solemos distraernos con algo, lo cual suele llevar a algún tipo de consumo poco sano: ya sea picar entre horas sin tener hambre, navegar por Internet al tuntún, dar una vuelta con el coche, o leer. La respiración consciente es una buena forma de alimentar tu cuerpo y tu mente con la plena conciencia. Tras respirar de manera consciente una o dos veces, tu deseo de comer algo o de distraerte habrá disminuido. La respiración consciente te sosiega y nutre el cuerpo y la mente. Tu respiración se irá calmando cada vez más, por lo que tu cuerpo también se relajará.

Respirar de manera consciente te permite darte un respiro sustentador y ser más consciente si cabe en la vida. De ese modo, cuando quieras observar tu ansiedad o cualquier otra emoción, tendrás la calma y la concentración necesarias para hacerlo.

La meditación guiada se ha estado practicando desde los tiempos del Buda. Puedes practicar el siguiente ejercicio mientras estás sentado o caminando. Cuando te sientes a meditar, adopta una postura cómoda y mantén la columna derecha y relajada a la vez. Puedes sentarte sobre un cojín con las piernas cruzadas o en una silla con los pies apoyados en el suelo. Al comenzar la sesión, di en silencio al inhalar la primera línea de la meditación que aparece más abajo, y luego al exhalar, la segunda. Mientras eres consciente de la respiración, ve diciendo las palabras clave.

Al inhalar, sé que estoy inhalando.
Al exhalar, sé que estoy exhalando.
(Inhalando. Exhalando.)

Al inhalar, inhalo con más profundidad.
Al exhalar, exhalo más despacio.
(Profundidad. Despacio.)

Al inhalar, soy consciente de mi cuerpo.
Al exhalar, calmo mi cuerpo.
(Consciente del cuerpo. Lo calmo.)

Al inhalar, sonrío.
Al exhalar, me relajo.
(Sonrío. Me relajo.)

Al inhalar, vivo el momento presente.
Al exhalar, disfruto del momento presente.
(Vivo el presente. Lo disfruto.)

2

la radio del pensar sin parar

Aunque no estemos hablando con alguien, leyendo, escuchando la radio, mirando la televisión o interactuando en Internet, la mayoría de las personas no nos sentimos centradas o en calma, porque la radio del PSP (Pensar Sin Parar) sigue sonando en nuestro interior.

Incluso mientras estamos sentados en quietud, sin recibir estímulos del exterior, seguimos manteniendo un interminable diálogo en nuestra cabeza. Estamos consumiendo constantemente nuestros pensamientos. Las vacas, las cabras y los búfalos mastican la comida, se la tragan, la regurgitan y la vuelven a masticar muchas veces más. Aunque no seamos vacas ni búfalos, nosotros también rumiamos del mismo modo nuestros pensamientos que, por desgracia, son sobre todo negativos. Nos los comemos, los expelemos y los volvemos a masticar una y otra vez como vacas rumiando el pasto.

Debemos aprender a apagar la radio del PSP. Esta clase de consumo procedente de nuestra mente no es bueno para la salud. En Plum Village, el centro de retiro donde yo vivo en Francia, practicamos el ser conscientes tanto del consumo de los alimentos comestibles como de los sensoriales. No solo elegimos no beber alcohol ni comer carne, sino que además procuramos hablar y pensar lo menos posible mientras comemos, bebemos, lavamos los platos o hacemos cualquier otra actividad. Porque si, por ejemplo, caminamos hablando o pensando a la vez, nos dejaremos llevar por la conversación o los pensamientos y nos quedaremos atrapados en el pasado o en el futuro, o en nuestras preocupaciones o proyectos. La gente se pasa la vida haciendo justamente esto. ¡Qué manera más trágica de perder el tiempo! *Vive* los momentos que la vida te da. Para poder vivir tu vida, apaga tu radio interior, silencia tu diálogo interno.

¿Cómo vamos a disfrutar de nuestros pasos si estamos absortos en nuestro parloteo mental? Es importante advertir no solo lo que pensamos, sino también lo que *sentimos*. Cuando tocamos el suelo con los pies, sentimos el pie entrando en contacto con el suelo. Al caminar de ese modo, experimentamos una gran alegría por el simple hecho de poder andar. Damos los pasos poniendo el cuerpo y el alma en ello, concentrándonos plenamente en cada precioso momento de la vida.

Al centrarnos al caminar en el contacto con la tierra, nuestros pensamientos ya no nos arrastran de aquí para allá y empezamos a experimentar el cuerpo y el entorno de una forma totalmente distinta. ¡Nuestro cuerpo es una maravilla! Su funcionamiento es producto de millones de procesos. Solo lo apreciaremos plenamente si detenemos nuestro incesante flujo de pensamientos y ponemos la suficiente atención y concentración para conectar con las maravillas de nuestro cuerpo, la Tierra y el cielo.

Pensar no siempre es malo, en realidad es una actividad muy productiva. Los pensamientos suelen surgir de nuestras sensaciones y percepciones, por lo que pensar se puede considerar una especie de fruto. Algunas clases de frutas son nutritivas. Otras, no. Si tenemos un montón de preocupaciones, miedos o angustias, crearemos el terreno ideal para unos pensamientos totalmente inútiles, improductivos y perjudiciales.

Somos lo que pensamos y, al mismo tiempo, mucho más que eso, porque también somos nuestros sentimientos, nuestras percepciones, nuestra sabiduría, nuestra felicidad y nuestro amor. Al saber que eres mucho más que tus pensamientos, puedes decidir no dejar que se apoderen de ti ni que te dominen. ¿Apoyan tus pensamientos tu verdadera intención en la vida? Si no es así, pulsa el botón de «reinicio». Si no eres consciente de tus pensamientos, camparán a sus anchas por tu mente y se instalarán en ella. No esperarán a que los invites a quedarse.

el hábito de los
pensamientos negativos

La psicología budista identifica al menos dos partes principales de la mente. Una de ellas, la conciencia almacén o depósito, es la parte inferior de la mente. Es el lugar donde se almacenan las simientes de los pensamientos y las emociones que llevamos dentro. En la mente hay toda clase de semillas: de amor, de fe, de perdón, de alegría y de felicidad. Y también semillas de sufrimiento: de rabia, de ojeriza, de odio, de discriminación, de miedo, de agitación y otras por el estilo. Nuestros antepasados nos transmitieron todas sus virtudes y defectos a través de nuestros padres y ahora se encuentran en las profundidades de nuestra conciencia en forma de semillas.

La conciencia depósito es como el sótano de una casa, y la mente consciente, la parte superior de la mente, como la sala de estar. Las semillas están almacenadas en el sótano y cuando una es estimulada —o «regada», como se suele decir—, esta aflora y se manifiesta en la mente consciente. La semilla deja de estar latente y se convierte en un campo de energía llamado «formación mental». Si es una semilla sana, como la de la plena conciencia o la compasión, gozamos de su compañía. Pero si la que se estimula es una semilla malsana, se puede apoderar de nuestra sala de estar como un huésped poco grato.

Por ejemplo, mientras miras la televisión, tal vez ese programa riegue en ti la semilla del deseo compulsivo y luego se manifieste en la mente consciente como la energía del antojo. O, poniendo otro ejemplo, cuando la semilla de la ira está latente en ti, te sientes feliz y alegre. Pero cuando alguien llega y te dice algo que la riega, se manifiesta en la mente consciente como la energía de la ira.

Nosotros practicamos el advertir y regar las semillas sanas para que se manifiesten en nuestra vida cotidiana, y el *no* regar las semillas del odio o el deseo apremiante. En el budismo la llamamos la práctica de la diligencia. En Plum Village la llamamos el «riego selectivo». Por ejemplo, cuando las semillas de la violencia y el odio están latentes e inactivas en la conciencia depósito, experimentamos una sensación de bienestar. Pero si no sabemos cuidar de nuestra mente, estas semillas en lugar de seguir latentes se activarán al regarlas y se manifestarán. Es importante advertir cuándo una semilla malsana se manifiesta en la mente consciente, para no dejar que crezca a sus anchas. Cuando veas que se manifiesta una formación mental malsana, trae la semilla de la plena conciencia a tu mente consciente para que se manifieste como una segunda energía, así reconocerá, aceptará y apaciguará la formación mental negativa para que puedas observar a fondo la negatividad y descubrir su origen.

La mayoría de las personas tenemos ira y sufrimiento en nuestro interior. Tal vez nos oprimieron o maltrataron en el pasado, y todo el dolor que nos causaron sigue ahí, enterrado en la conciencia depósito. Todavía no hemos asimilado ni transformado nuestra relación con lo que nos ocurrió y no sabemos qué hacer con toda la ira, el odio, la desesperanza y el sufrimiento que llevamos dentro. Si de pequeños sufrimos abusos sexuales, cada vez que recordamos el episodio es como si lo reviviéramos. Todas las veces que pensamos en él es como si dejáramos que nos lo volvieran a hacer. Rumiar el alimento tóxico de nuestra mente consiste en esto.

Durante la infancia probablemente vivimos también muchos momentos felices. Sin embargo, no cesamos de regodearnos en la desesperación una y otra vez y en otros estados mentales que no son sanos. Vivir en un buen entorno donde nuestros amigos nos recuerden: «Querido amigo mío, te ruego que no rumíes» es de gran ayuda. La gente solía decir: «Te doy una moneda si me dices en qué piensas». También podemos preguntar a los demás: «¿Qué estás rumiando? ¿El sufrimiento del pasado?» Podemos ayudarnos unos a otros a dejar atrás nuestros pensamientos negativos habituales y a apreciar las maravillas de nuestro interior y del entorno. A no volver a resucitar los fantasmas del sufrimiento y la desesperación pertenecientes al pasado.

nuestros pensamientos
en el mundo

Los pensamientos van desfilando por nuestra cabeza sin cesar hasta el punto que perdemos la alegría de vivir. La mayoría de pensamientos no solo no nos ayudan en nada, sino que encima nos perjudican. Tal vez creamos que no nos estamos haciendo daño alguno por pensar simplemente en algo, pero en realidad los pensamientos que nos pasan por la cabeza también se propagan por el mundo. Al igual que una vela emana luz, calor y olor, nuestros pensamientos se manifiestan de distintas formas, como en nuestras palabras y en nuestras acciones.

Tus ideas y pensamientos

son una continuación tuya. Son

los hijos que estás trayendo al mundo

a cada momento.

———————

Cuando alguien de nuestro alrededor se siente infeliz o se deja llevar por pensamientos negativos, lo notamos. Cada vez que tenemos un pensamiento —ya sea sobre nosotros mismos o sobre el mundo, el pasado o el futuro— emitimos de algún modo los pensamientos y las ideas que lo sustentan. Generamos pensamientos y estos a su vez acarrean consigo ideas y la energía de nuestros sentimientos.

Cuando nos dejamos llevar por pensamientos negativos y preocupaciones, es fácil crear malentendidos y ansiedad. Al dejarlos atrás y calmar la mente, creamos más espacio y apertura.

Así que en tus manos está. De *ti* depende. Tus pensamientos pueden hacerte sufrir más o sufrir menos tanto a ti como al mundo que te rodea. Si deseas crear un ambiente con más camaradería y armonía en tu lugar de trabajo o en tu comunidad, no empieces intentando hacer cambiar a los demás. Ante todo encuentra tu propio espacio silencioso dentro de ti para conocerte mejor. De ese modo sabrás más cosas sobre ti y entenderás tu propio sufrimiento. Cuando tu práctica sea firme y ya hayas cosechado algunos de los dulces frutos del autoconocimiento, podrás plantearte cómo hacer más espacio para que tu lugar de trabajo o tu comunidad goce de silencio, atención plena, comprensión y compasión.

la plena conciencia significa recuperar tu atención

No pensar es un arte, y como cualquier arte, exige paciencia y práctica. Recuperar tu atención y unir el cuerpo y la mente durante solo diez respiraciones puede resultarte muy difícil al principio. Pero a base de práctica podrás recuperar tu capacidad de estar presente en la vida y aprender simplemente a *ser*.

Encontrar unos pocos minutos para sentarte en quietud es la forma más fácil de aprender a abandonar tu modo habitual de pensar. Cuando te sientas en silencio puedes observar el ir y venir de tus pensamientos y en lugar de rumiar en ellos, dejas que lleguen y se vayan mientras te concentras en la respiración y en el silencio que se ha hecho en ti.

Conozco a algunas personas a las que no les gusta sentarse en quietud. No es su forma de relajarse; a algunas hasta les resulta muy penoso. Entre ellas, hay una mujer que decidió que no conseguiría meditar nunca porque «no le funcionaba». De modo que le pedí que viniera a dar un paseo conmigo. No le dije que íbamos a «meditar caminando», pero andamos pausadamente y con atención, disfrutando del aire y de la sensación de nuestros pies entrando en contacto con el suelo; simplemente nos dedicamos a caminar juntos. Al volver, los ojos le brillaban y parecía sentirse renovada y despejada.

Thich Nhat Hanh

Si te reservas unos minutos

para calmar el cuerpo,

las sensaciones y las percepciones

de ese modo, podrás ser feliz.

La dicha que da la verdadera quietud

será tu elixir diario.

———————

Caminar es una forma maravillosa de despejar la mente sin *intentar* despejarla. No dices: «¡Ahora voy a meditar!» o «¡Ahora voy a no pensar!» Te dedicas simplemente a andar, y mientras te concentras en ello, la alegría y la atención plena surgen de manera natural.

Para gozar realmente de tus pasos mientras caminas, deja que tu mente se desprenda por completo de cualquier preocupación o plan. No hace falta que inviertas mucho tiempo y esfuerzo preparándote para vaciar la mente. Al inhalar de manera consciente, ya habrás dejado de pensar. Cuando inhalas, das un paso. Mientras inhalas dispones de dos o tres segundos para detener la maquinaria mental. Si la radio del Pensar Sin

Parar está puesta a todo volumen, no dejes que esa energía huracanada de la dispersión te arrastre como si fuera un tornado. A muchos nos ocurre a todas horas: en lugar de vivir la vida, nos dejamos arrastrar una y otra vez por ella, día tras día. La práctica de la plena conciencia te permite vivir el presente, el único instante en el que la vida y todas sus maravillas son reales y están a tu alcance.

Al principio quizá necesites un poco más de tiempo, tal vez hayas de respirar de manera consciente diez o veinte segundos para vaciar la mente. Puedes dar un paso al inhalar y otro paso al exhalar. Si te distraes, vuelve a llevar suavemente la atención a la respiración.

Diez o veinte segundos no es mucho tiempo. Un impulso nervioso, una posible acción, toman solo un milisegundo. Al darte veinte segundos de tiempo, te estás dando veinte mil milisegundos para detener el tren desbocado de los pensamientos. Si lo deseas, puedes concederte incluso más tiempo aún.

En ese pequeño espacio de tiempo sentirás el goce, la alegría, la felicidad de dejar de pensar. Durante ese tiempo de quietud, tu cuerpo se curará a sí mismo. Tu mente se renovará a sí misma. No hay nadie ni nada que te impida seguir sintiendo la dicha del segundo paso, de la segunda respiración. Tus pasos y tu respiración siempre estarán ahí para ayudarte a sanar.

Mientras caminas, tal vez veas cómo tu mente es empujada y arrastrada de aquí para allá por la antigua y arraigada energía del hábito de la ira o el deseo imperioso. Al fin y al cabo, esta clase de energía tal vez te esté empujando *a todas horas*, hagas lo que hagas, incluso mientras duermes. La plena conciencia te permite reconocer esta energía del hábito. Al advertirla, simplemente sonríele y dale un buen baño de plena conciencia, de silencio cálido y espacioso. Esta práctica te permitirá desprenderte de la energía del hábito negativo. Puedes ofrecerte este baño cálido y envolvedor de silencio siempre que lo desees, mientras caminas, estás acostado, lavas los platos, te cepillas los dientes o haces cualquier otra cosa.

Esta clase de silencio no significa dejar de hablar. La mayor parte del ruido viene de la animada cháchara que mantenemos en nuestra cabeza. Pensamos y volvemos a pensar sin parar, una y otra vez. Por eso al comienzo de cada comida nos recordamos que vamos a consumir solo comida y no nuestros pensamientos. Nos concentramos solamente en comer, sin pensar a la vez. Solo prestamos atención a la comida que ingerimos y a las personas de nuestro alrededor.

Aunque esto no significa que no debamos pensar nunca o que hayamos de reprimir nuestros pensamientos, sino que cuando caminamos nos hacemos el regalo de tomarnos un descanso de nuestros pensamientos centrándonos por entero en la respiración y en nuestros pasos. Si necesitamos realmente pensar en algo, dejamos de caminar y ponemos toda la atención en el tema en el que debamos reflexionar.

Caminar y respirar con plena conciencia te permite sentir los milagros de la vida que te rodean, por lo que tus pensamientos compulsivos se desvanecen por sí solos. Cuando eres cada vez más consciente de las maravillas que tienes a tu alcance, te sientes feliz. Si hace una noche de luna llena y estás pensando en otras cosas, la luna desaparecerá de tu vista. Pero si te fijas en la luna, dejarás de pensar sin más, sin necesidad de esforzarte, reñirte o reprimirte para no pensar.

No hablar ya te da de por sí

un considerable sosiego. Si además te ofreces

el silencio más profundo del sin pensar,

descubrirás en esa quietud

una claridad y libertad maravillosas.

———

Dejar de centrarte en tus pensamientos para volver a tu verdadero hogar y vivir el momento presente es una práctica básica de plena conciencia. La puedes hacer en cualquier momento, donde sea, y con ella la vida te resultará más agradable. Tanto si estás cocinando, trabajando, cepillándote los dientes, haciendo la colada o comiendo, puedes disfrutar de ese refrescante silencio al dejar de pensar y de hablar.

La práctica de la plena conciencia no requiere meditar sentado u observar las formas externas de la misma. Simplemente consiste en prestar atención y encontrar la quietud dentro de uno. Si no logramos hacerlo, no podremos ocuparnos de las energías de la violencia, el miedo, la cobardía y el odio que hay en nuestro interior.

Cuando tu mente está agitada y llena de ruido, aunque por fuera parezcas estar tranquilo, no es más que pura fachada. Pero si encuentras dentro de ti espacio y calma, desprenderás serenidad y alegría de manera natural. Puedes ayudar a los demás y crear un ambiente más sano a tu alrededor sin pronunciar una sola palabra.

el espacio para hacer realidad los sueños

A veces nos aferramos a grandes sueños, que no tienen pies ni cabeza, porque estamos tan ocupados con mil y una cosas cada día que no creemos poder vivir de acuerdo con nuestros deseos más profundos y genuinos. Pero lo cierto es que aquí mismo, en la vida cotidiana, nuestros sueños se pueden hacer realidad en cada bocanada de aire que respiramos y en cada paso que damos. Si en su lugar perseguimos los sueños prefabricados que nos venden, convencidos de que este o aquel otro anillo de hojalata es tan bueno como dicen, sacrificaremos el valioso tiempo que se nos ha dado para vivir y amar por una ambición vacua que no tiene ningún sentido. Nos hipotecaremos la vida por esas cosas.

Muchas personas por desgracia solo lo descubren en su lecho de muerte o en el ocaso de su vida. De pronto se preguntan qué han sacado de todas esas décadas de trabajo y estrés. Se han convertido en «víctimas de su propio éxito», es decir, han alcanzado la riqueza y la fama deseada, pero nunca han tenido el tiempo ni el espacio para disfrutar de su vida, para conectar con los seres queridos. Han estado trabajando a destajo para no perder el estatus que habían alcanzado.

Pero nadie se ha convertido nunca en víctima de su propia felicidad. Tal vez descubras que cuando es una prioridad para ti seguir la senda de la felicidad, también tienes más éxito en tu trabajo. Cuando te sientes más contento y tranquilo, la cualidad de tu trabajo suele mejorar. Pero debes decidir cuál es realmente tu aspiración más profunda en la vida. Algunas personas quieren practicar la plena conciencia para tener más éxito en sus negocios o carreras y no para sentirse más felices y ayudar a los demás. Mucha gente me ha preguntado: «¿Puedo usar la práctica de la plena conciencia para ganar más dinero?»

La práctica de la plena conciencia nunca te hará daño alguno. Pero si entre tanto no te vuelves más compasivo, significa que no la estás haciendo bien. Si crees que tus sueños no se están cumpliendo, tal vez decidas hacer más cosas o mejorar tus estrategias. Sin embargo, lo que necesitas es probablemente menos cosas —menos ruido llegando de fuera y de dentro— para que la intención más auténtica de tu corazón tenga espacio para germinar y crecer.

práctica:
detenerse para hacer
un alto y el abandono

Cuando te detienes para hacer un alto, el cuerpo y la mente se unifican y vuelven al presente. Solo podrás recuperar el sosiego y la concentración y vivir plenamente la vida si te detienes. Al estar sentado en quietud, detener las actividades del cuerpo y la mente y dejar que se haga el silencio en ti, tu estabilidad y concentración aumentan, y tu mente experimenta una gran claridad. Solo así podrás ser consciente de lo que está ocurriendo dentro y fuera de ti.

Para empezar, deja de pasarte la vida yendo a toda prisa de un lado a otro. Cuando el cuerpo está en reposo, cuando no necesitas prestar atención a ninguna otra actividad aparte de respirar, a tu mente le es mucho más fácil dejar también el hábito de ir de aquí para allá llevada por los pensamientos. Lo lograrás a base de práctica, ya que requiere su tiempo.

En cuanto aprendas a detener la mente cuando tu cuerpo esté en quietud, también podrás detenerla aunque tu cuerpo se esté moviendo. Al concentrarte en cómo tu respiración se combina con los movimientos físicos de tus actividades diarias, podrás ser plenamente consciente en la vida en lugar de vivir en un estado de despiste.

Como cualquier otra cosa en el mundo, tus pensamientos son impermanentes. Si no te aferras a ellos, surgirán, se quedarán unos momentos, y luego desaparecerán. Aferrarte a los pensamientos y cobijar deseos por cosas como la riqueza, la fama o los placeres sensuales te producirá apetencias y apegos que te llevarán por senderos peligrosos y te harán sufrir a ti y a los demás. Advertir los pensamientos y los deseos, dejando que lleguen y se vayan, te da el espacio para alimentarte por dentro y conectar con tus aspiraciones más profundas.

Complementa si lo deseas la siguiente meditación guiada con tus propias estrofas.

Al inhalar, soy consciente de mis pensamientos.
Al exhalar, soy consciente de mi naturaleza
    impermanente.
(Pensamientos. Impermanencia.)

Al inhalar, soy consciente de mi deseo de riqueza.
Al exhalar, soy consciente de que la riqueza es
    impermanente.
(Consciente del deseo de riqueza. Impermanente.)

Al inhalar, sé que el deseo de riqueza puede causar
    sufrimiento.
Al exhalar, abandono mi deseo.
(Consciente del deseo. Lo abandono.)

Al inhalar, soy consciente de mi deseo de placeres
    sensuales.
Al exhalar, sé que el deseo sensual es impermanente
    por naturaleza.
(Consciente del deseo sensual. Impermanente.)

Al inhalar, soy consciente del peligro de desear
    placeres sensuales.
Al exhalar, abandono mi deseo de placeres sensuales.
(Consciente del deseo. Lo abandono.)

Al inhalar, contemplo cómo lo abandono.
Al exhalar, siento la dicha de abandonarlo.
(Contemplando cómo lo abandono. Dicha.)

3

un silencio atronador

Desear una cosa tras otra para sentirnos bien es la enfermedad colectiva de los seres humanos de nuestra época. Y el mercado siempre está dispuesto a vendernos cualquier clase de producto habido y por haber para satisfacernos. Los anuncios nos asustan continuamente para que evitemos la supuestamente patética situación de vivir sin esto o sin aquello otro. Pero muchas de las cosas que consumimos, ya sean productos comestibles o impresiones sensoriales, están repletos de toxinas. Al igual que nos sentimos peor después de comernos una bolsa entera de patatas fritas, también nos pasa lo mismo después de estar muchas horas enganchados a las redes sociales o a los videojuegos. Tras entregarnos a esta clase de consumo para reprimir los sentimientos desagradables o como vía de escape, acabamos de algún modo sintiéndonos incluso más solos, enojados y desesperados aún.

Debemos dejar de consumir alimentos sensoriales llevados por el deseo compulsivo de huir de nosotros mismos. Aunque esto no significa que nos obliguemos a prescindir del móvil o de navegar por Internet. Los alimentos sensoriales son tan vitales para nosotros como los alimentos comestibles. Pero podemos ser mucho más conscientes e inteligentes a la hora de elegir la clase de alimentos sensoriales que consumimos y saber sobre todo por qué decidimos, en ese momento, consumirlos.

Muchas personas consultan su correo electrónico varias veces al día en busca de algo nuevo, aunque la mayoría de las veces no descubran nada. La manera más segura de ofrecerte algo realmente nuevo en la vida —una sensación de renovación, de felicidad, de sentirte a gusto en tu piel— es abriendo el espacio que hay en ti para la práctica de la plena conciencia.

el abandono

Muchos maestros zen han afirmado que el «sin pensar» es la clave para la meditación de la plena conciencia. Meditar no significa ¡sentarse en quietud pensando! Cuando surgen pensamientos en tu mente, dejas de estar en contacto con el cuerpo y con tu mayor consciencia. Los humanos nos aferramos a nuestros pensamientos, ideas y emociones. Creemos que son reales y que si los dejamos ir estaremos renunciando a nuestra propia identidad.

Si eres como la mayoría de la gente, probablemente creas que aún necesitas alguna condición para ser feliz.

Quizá sea un diploma, un ascenso laboral, un nivel de ingresos o una pareja. Pero esta idea puede que sea justamente lo que te está impidiendo ser feliz. Para abandonarla y hacer espacio para que la felicidad auténtica se manifieste, primero debes ver que esa idea te está haciendo sufrir. Tal vez la hayas cobijado durante diez o veinte años sin percatarte nunca de que estaba interfiriendo en tu capacidad natural de ser feliz.

Una noche soñé que era un estudiante universitario de veintiún años. Tenía sesenta y tantos cuando lo soñé, pero en mi sueño era joven y me habían acabado de aceptar en una clase impartida por un profesor muy distinguido, el más solicitado de la universidad. Encantado de poder ser alumno suyo, me dirigí al despacho adecuado y pregunté dónde iba a tener lugar la clase. Mientras lo preguntaba, alguien idéntico a mí entró en el despacho. El color de su ropa, su cara... *todo* era idéntico. Me quedé sorprendido. ¿Él era yo o no lo era? Le pregunté a la empleada si ese joven también había sido aceptado en la clase. Ella repuso: «No, ni hablar. Tú sí, pero él... no».

La clase se iba a dar en la última planta del edificio esa misma mañana. Me apresuré para llegar a tiempo y a mitad de las escaleras me pregunté en voz alta: «¿De qué será la clase?» Alguien que había cerca me respondió que era de música. Me chocó, porque yo no había estudiado nunca música.

Al llegar a la puerta del aula, me asomé y descubrí que había más de mil alumnos dentro, una auténtica asamblea. Por la ventana que daba al exterior vi un paisaje muy hermoso de cumbres nevadas, y la luna y las constelaciones brillando en el cielo. La belleza del paisaje me conmovió enormemente. Pero de pronto, justo antes de que el profesor llegara, me dijeron que teníamos que hacer una presentación de música y que me había tocado ser el primero. Me sentí muy desconcertado, no sabía nada de música.

Busqué en mis bolsillos intentando encontrar algo que me ayudara y encontré un objeto metálico. Lo saqué. Era una campanilla. Me dije: «Esto es música. Esto es un instrumento musical. Haré una presentación sobre la campanilla... sí. Lo conseguiré». Me dispuse a hacerla, pero en ese mismo instante alguien anunció la llegada del profesor y me desperté. Lo lamenté mucho; si el sueño hubiera durado dos o tres minutos más, habría visto a aquel profesor extraordinario al que todo el mundo adoraba.

Después de despertarme, intenté recordar los detalles del sueño e interpretar su significado. Llegué a la conclusión de que el otro joven que había visto en el despacho también era yo, pero tal vez él todavía seguía apegado a alguna clase de idea y por eso no era lo bastante libre para que lo aceptaran en esa clase. Quizá era un aspecto antiguo de mí mismo que había dejado atrás al tener una percepción que me había ayudado a no aferrarme a mis ideas.

El abandono significa desprenderse de *algo*. Aquello a lo que nos aferramos podría ser simplemente una creación de nuestra mente, una percepción ilusoria sobre algo y no la realidad en sí misma de ese algo. Todo es un objeto de nuestra mente y está coloreado por nuestra percepción. Te haces una idea y antes de darte cuenta ya te has aferrado a ella. Tal vez te asuste la idea en la que has decidido creer. O quizá enfermes por su culpa. Puede que esa idea te produzca una gran infelicidad y preocupación y te gustaría ser libre de esas emociones. Pero no basta con *querer* ser libre. Tienes que ofrecerte el espacio y la quietud que necesitas para serlo.

A veces debemos dedicar un poco más de tiempo a observar a fondo una idea o una emoción y descubrir su origen. Al fin y al cabo, ha surgido de alguna parte. Tal vez se formó en la infancia o incluso antes de que naciéramos. En cuanto advertimos el origen de una emoción o una idea, podemos empezar a abandonarla.

El primer paso es dejar de pensar y llevar la atención a la respiración para calmar el cuerpo y la mente. Con lo que tendrás más espacio y claridad para nombrar y reconocer la idea, el deseo o la emoción que te está agitando, para saludarla y darte permiso para abandonarla.

encuentra las respuestas
sin pensar

Con esto no quiero decir que no tengas derecho a pensar nunca en nada. Hace poco una monja budista me confesó: «Tengo un montón de problemas y si me dices que no piense, ¿cómo los voy a resolver?» Pero solo el *pensamiento correcto* es realmente útil. El pensamiento correcto da buenos frutos. Por lo general, el 90 por ciento o más de nuestros pensamientos no son correctos, solo nos hacen dar vueltas y más vueltas, sin llevarnos a ninguna parte. Cuando más pensamos de ese modo, más se dispersan y agitan el cuerpo y la mente. Esta clase de pensamientos no sirven para resolver ningún problema.

El pensamiento correcto requiere plena conciencia y concentración. Pongamos que hay un problema que necesitas resolver. Si no lo abordas con el pensamiento correcto tardarás mucho más en dar con una buena solución. Tienes que dejar que tu mente consciente descanse y que sea la conciencia depósito la que busque una solución. La parte intelectual y emocional de tu ser deben «soltar el volante» para que la conciencia depósito se ocupe de resolver esa pregunta, ese reto. Es lo mismo que haces cuando siembras una semilla: se la confías a la tierra y al cielo. Tu mente pensante, tu mente consciente, no es la tierra, sino la mano que siembra la semilla y cultiva la tierra al ser plenamente consciente de todo cuanto haces a lo largo del día. Tu conciencia depósito es la tierra fértil que ayudará a la semilla a germinar.

Después de confiar la semilla a la conciencia depósito, sé paciente. Mientras duermes, tu conciencia depósito se dedicará a encontrar la respuesta. Mientras caminas, mientras respiras, si no dejas que tus pensamientos interfieran en el proceso, la conciencia depósito seguirá trabajando en ello. Y un día aparecerá de pronto la solución, porque no has tomado refugio en la mente pensante, sino en la conciencia depósito.

Tienes que ejercitarte en la meditación para poder confiar tus preguntas, tus dificultades, a la conciencia depósito. Confía en ella y usa tu plena conciencia y concentración para regar la semilla y cuidar la tierra. Al cabo de uno, dos o varios días, la solución brotará sin más. Y a ese momento de despertar se le llama momento de iluminación.

la esencia de la quietud

Cuando nos desprendemos de nuestras ideas, pensamientos y conceptos, hacemos espacio para que se manifieste la mente auténtica. Nuestra verdadera mente está libre del ruido de las palabras y las ideas y es muchísimo más espaciosa que nuestras limitadas elaboraciones mentales. Solo cuando el mar está en calma y quietud vemos la luna reflejada en el agua.

El silencio llega del corazón y no de ninguna serie de condiciones externas. Vivir en un estado de silencio no significa no hablar nunca, ni participar en nada o no hacer ninguna cosa, sino simplemente no estar *agitado* por dentro, ni mantener una constante cháchara interior. Si hay un verdadero silencio en ti, sea cual sea la situación en la que te encuentres, siempre disfrutarás de la deliciosa espaciosidad del silencio.

Hay momentos en los que creemos estar en silencio porque el mundo que nos rodea permanece en reposo, pero a no ser que calmemos la mente, estaremos siempre parloteando en nuestra cabeza. Eso no es el silencio auténtico. La práctica del silencio consiste en aprender a encontrarlo en medio de las actividades cotidianas.

Intenta cambiar tu modo de pensar y de ver las cosas.

La hora del almuerzo es una oportunidad para ofrecerte la delicia del silencio. Aunque los demás sigan hablando, tú puedes dejar tu modo habitual de pensar para que se haga el silencio en ti. Hasta en un lugar lleno de gente puedes gozar del silencio e incluso de soledad.

Advierte que el silencio

viene de tu corazón y no

de estar callado.

———

Del mismo modo que el silencio interior no requiere el silencio exterior, la soledad no significa que debas aislarte de todo el mundo. Comprendes el profundo significado de estar solo cuando te mantienes con firmeza en el aquí y el ahora y eres consciente de lo que ocurre en el presente. Usas la plena conciencia para percatarte de cada sentimiento, de cada percepción que tienes. Sabes lo que está ocurriendo a tu alrededor, pero también estás totalmente presente en tu interior, no te dejas llevar por las condiciones que te rodean. Eso es la auténtica soledad.

el silencio gozoso frente al opresivo

A veces al pensar en el silencio lo vemos como una prohibición, como una represión dictatorial de la libertad de expresión o como un adulto que le dice a un niño: «¡Estate quieto y calladito!», o un miembro de una familia prohibiendo a otros hablar de un tema delicado. Esta clase de silencio es opresivo y no hace más que empeorar las cosas.

Algunas personas han vivido este tipo de silencio crispado en su familia. Si los padres discuten a menudo, le sigue ese desagradable silencio y toda la familia lo sufre. Cuando todo el mundo está enojado o nervioso, guardar silencio puede aumentar el enojo y el nerviosismo colectivos. Esta clase de silencio cargado de tensión y resentimiento es muy negativo. No se puede aguantar demasiado tiempo. Nos destruye por dentro. Pero el silencio voluntario es totalmente distinto. Cuando sabemos cómo sentarnos juntos, respirar juntos, conectar con la espaciosidad que hay siempre en nuestro interior, y generar la energía de la paz, la relajación y la alegría, la energía colectiva del silencio es muy curativa, muy nutritiva.

Supón que te sientas al aire libre y te fijas en la luz del sol, la belleza de los árboles, la hierba y las flores silvestres creciendo por todas partes. Si te relajas sobre la hierba y respiras en silencio, oirás el gorjeo de los pájaros, el viento susurrando entre los árboles. Aunque vivas en una ciudad, puedes oír el canto de los pájaros y el murmullo del viento. Si sabes sosegar el embate de tus pensamientos, no intentarás evadirte inútilmente de tus sentimientos molestos valiéndote del consumo compulsivo. Podrás oír un sonido, escucharlo atentamente y disfrutar de él. Es una escucha imbuida de paz y alegría, y un silencio lleno de fuerza. Esta clase de silencio es dinámico y constructivo. No es el tipo de silencio que te reprime.

En el budismo lo llamamos silencio atronador. Es muy elocuente y está lleno de energía. Solemos organizar retiros en los que miles de asistentes practican juntos el ser conscientes de su respiración en silencio. Si has formado parte de alguno, sabrás lo poderoso que es un silencio compartido libremente.

¿Has notado alguna vez cuánto disfrutan los niños con el silencio, incluso los bebés? Hay algo muy relajante en ello. En Plum Village niños de todas las edades comen juntos y caminan juntos en silencio, pasándoselo de maravilla. En nuestro centro no miramos la televisión ni jugamos a videojuegos. Tengo un joven amigo que la primera vez que vino a Plum Village estuvo pateando y gritando durante todo el trayecto. Tenía ocho años. Al llegar con sus padres de París no quería salir del coche porque sabía que si lo hacía no podría ver la televisión ni jugar con videojuegos durante una semana. Pero consiguió sobrevivir y, además, hizo amigos; y el último día no se quería ir. Ahora viene cada año con sus padres y espera con ilusión su estancia en Plum Village. Este año cumplirá los dieciséis.

el noble silencio

La quietud consciente, intencionada, es el noble silencio. A veces la gente supone que el silencio requiere seriedad, pero en el noble silencio hay ligereza. El noble silencio es una clase de silencio que contiene tanta alegría como la de una buena carcajada.

El noble silencio te permite ver cómo la energía del hábito se manifiesta en tu forma de reaccionar ante la gente y las situaciones de tu alrededor. Algunas personas decidimos practicar una o dos semanas de silencio, e incluso tres meses de silencio o más aún. Después de estar todo ese tiempo en silencio, podemos transformar nuestra manera de reaccionar ante cualquier situación. Se llama noble silencio porque tiene el poder de curar. Cuando practicas el noble silencio, no te estás obligando a enmudecer, sino que calmas y aquietas tus pensamientos. Apagas la radio del PSP.

Es posible reconocer el noble silencio en alguien simplemente por su forma de actuar. Algunas personas parecen estar siempre en silencio, pero en el fondo no es así. Tienen la cabeza en otra parte, no están realmente presentes ni disponibles para la vida, para ellas mismas ni para el que está a su lado. Otras tienen una actitud que lo dice todo sin necesidad de que abran la boca. Quizá hayas estado alguna vez con una persona que pese a no decir nada, te dio la impresión de que te estaba criticando por dentro. Esto no es el noble silencio, porque el noble silencio fomenta la comprensión y la compasión. No olvides que aunque no emitas una sola palabra, puedes estar reaccionando con fuerza por dentro y los demás lo sabrán por la expresión de tu cara.

Respirar de manera consciente y advertir tus reacciones ante la gente y las situaciones de tu alrededor es una práctica profunda. En lugar de reaccionar, en lugar de incluso pensar, simplemente *eres*. Practicas la plena conciencia para estar con tu respiración, con los pasos que das, con los árboles, las flores, el cielo azul y la luz del sol.

Puedes elegir a qué prestarle atención y, por lo tanto, qué quieres ser. Decidir estar con tu inhalación y con tu exhalación. Escuchar con el cien por cien de tu ser el murmullo de la lluvia o del viento, y de alguna manera ser uno con la lluvia o el viento. Escuchar los sonidos de esta manera es una verdadera delicia. Cuando conectas con esos elementos refrescantes y curativos estás siendo en lugar de pensando.

Al practicar de esta forma, cuando salgas a la calle como de costumbre y oigas un coche tocando el claxon o gente gritando, o veas algo desagradable, reaccionarás con compasión. Al enfrentarte a cualquier clase de provocación, mantendrás vivo tu noble silencio y conservarás la calma y la compostura.

la acción silenciosa

Hay quienes creen que el silencio es signo de debilidad o de aislarse del mundo. Pero en el silencio hay una fuerza colosal. En el famoso texto budista *El Sutra del Loto* hay un capítulo que trata de un *bodhisattva*, un ser sumamente compasivo, llamado Rey de la Medicina. En el budismo mahayana cada *bodhisattva* se describe como un brazo distinto y una mano distinta del Buda, cada *bodhisattva* representa una clase distinta de acción. La leyenda cuenta que en una de sus vidas pasadas el Rey de la Medicina se llamaba «el *bodhisattva* que a todos les alegra ver». De vez en cuando nos encontramos con una persona así, alguien que todo el mundo se alegra de ver. Tanto si se trata de un niño como de un adulto, su presencia es tan maravillosa, refrescante y agradable que todos se alegran al verle.

El *bodhisattva* Rey de la Medicina practicaba la devoción y el amor. ¿Debemos amar para tener éxito en nuestra práctica de la Iluminación? La respuesta es sí. El papel del afecto en el crecimiento de un niño es importantísimo. Así como en el del desarrollo del conocimiento y la comprensión. La presencia afectuosa de una madre es vital para el crecimiento de un bebé y la de un maestro afectuoso y de la comunidad de practicantes es muy importante para progresar en nuestra práctica. El amor nos es indispensable para crecer y llegar muy lejos.

El Rey de la Medicina se desarrolló a la perfección en su vida espiritual y alcanzó la libertad y la visión profunda. Dejó de identificarse con su cuerpo. Dominó una clase de concentración llamada «la concentración que le permite a uno manifestarse en toda clase de cuerpos». Si necesitaba convertirse en un niño, se convertía en niño. Si necesitaba ser una mujer, se manifestaba como mujer. Si necesitaba ser un hombre de negocios, se manifestaba como hombre de negocios. No estaba atrapado en la idea de que el cuerpo que habitaba le pertenecía. Por eso lo podía abandonar sin esfuerzo alguno. El Rey de la Medicina vio que había mucho sufrimiento, pobreza y crueldad a su alrededor. Como ofrenda, se roció con aceite fragante y se prendió fuego. El cuerpo del *bodhisattva* Rey de la Medicina tardó millones de años en consumirse por las llamas y, durante ese tiempo, fue cuando tuvieron lugar las enseñanzas. Su cuerpo ardiendo les recordaba en silencio, a quienes lo contemplaban, hasta qué punto estaba dispuesto a sacrificarse por todos los seres.

Tal vez hayas oído hablar de los monjes vietnamitas que se autoinmolaron durante la guerra en la década de 1960. Esta acción surgió del capítulo sobre el Rey de la Medicina del *Sutra del Loto*. Las personas que consideran que su cuerpo no les pertenece, a veces deciden usarlo para transmitir un mensaje a los demás. Cuando los monjes vietnamitas se prendían fuego, estaban intentando comunicar un mensaje silencioso, un mensaje lo más vehemente posible, porque hasta entonces nadie había escuchado los gritos pidiendo ayuda de los que estaban sufriendo. Esos monjes intentaban decir, no con palabras sino con actos, que en Vietnam había represión, discriminación y sufrimiento. Usaban su cuerpo a modo de antorcha para que la gente fuera consciente de ese sufrimiento.

Si no eres libre, si crees que este cuerpo te pertenece, si piensas que cuando se desintegre dejarás de existir, no podrás realizar esta clase de acto. Solo cuando eres libre y te ves bajo muchas formas y no solo en la de este cuerpo, puedes tener el valor y la sabiduría para ofrecerte como una antorcha viviente.

El primer monje que se autoinmoló en 1963 fue Thich Quang Duc. *Quang* significa «inmensa». Y *Duc*, «virtud». Le conocí personalmente. Era una persona encantadora. En mis tiempos de joven monje estuve en su templo de Saigón. En aquella época yo era editor de una revista budista y estaba estudiando otras tradiciones espirituales. En su templo había una colección de revistas que usé en mis investigaciones.

Thich Quang Duc escribió cartas compasivas al presidente de Vietnam (del Sur) rogándole que dejaran de perseguir a los budistas. Formaba parte de un movimiento más amplio de monjes, monjas y laicos que organizaban respuestas no violentas ante el aumento de derramamientos de sangre. Un día, Thich Quang Duc pidió que lo llevaran en un viejo coche hasta un cruce de Saigón muy concurrido. Salió del coche, se roció con un bidón de gasolina, adoptó con una serenidad maravillosa la postura del loto, y se prendió fuego. Al cabo de cinco horas la imagen de su cuerpo envuelto en llamas sentado en meditación en medio de un cruce dio la vuelta al mundo, y la gente se enteró del sufrimiento de los vietnamitas. Un mes o dos más tarde, el régimen fue derrocado por un golpe militar y aquella política de discriminación y persecución religiosa finalizó.

Cuando leí en el *New York Times* que Thich Quang Duc había muerto, estaba en la Universidad de Columbia de Nueva York dando un curso sobre psicología budista. Mucha gente me preguntó: «¿No es ese acto una violación del precepto de no matar a ningún ser vivo?» Le escribí a Martin Luther King junior una carta explicándole que aquello no era en realidad un suicidio. Cuando te suicidas, estás desesperado, no quieres seguir viviendo. Pero Thich Quang Duc no se sentía así. Quería vivir. Quería que sus amigos y los otros seres vivos vivieran. Le encantaba estar vivo. Pero era lo bastante libre para ofrecer su cuerpo con el fin de transmitir un mensaje: «Estamos sufriendo y necesitamos vuestra ayuda». Gracias a su gran compasión, fue capaz de permanecer sentado en quietud envuelto en llamas, sumido en una concentración perfecta. En la carta compartí con Martin Luther King que cuando Jesús murió en la cruz, decidió morir en beneficio de los demás. No lo hizo por desesperación, sino por su deseo de ayudar a los seres humanos. Eso es exactamente lo que Thich Quang Duc quiso hacer. No cometió ese acto por desesperación, sino movido por la esperanza y el amor, usando su cuerpo para cambiar una situación desesperada.

Prenderse fuego a sí mismo fue una especie de ofrenda. Lo que Thich Quang Duc y el Rey de la Medicina querían ofrecer con su acto de inmolación no era solo su cuerpo, sino también su inquebrantable determinación de ayudar a los seres vivos. Esa determinación extraordinaria fue la base de su dramática acción, que comunicó sin duda un mensaje inolvidable y transmitió en silencio su visión por todo el mundo.

No he contado esta historia porque crea que tú también debas hacer un acto tan drástico, sino para ilustrar el poder de la acción silenciosa. Todos queremos cambiar ciertas cosas o convencer a alguien de algo. Si tienes un pequeño problema en el trabajo o en una relación y has intentado resolverlo hablando sin ningún éxito, considera lo poderosa que puede llegar a ser una acción silenciosa.

práctica:
la curación

Si tu vida cotidiana está llena de prisas, ruido o confusión, puede que te pasen por alto los elementos saludables y nutritivos de tu alrededor, como el aire fresco, el sol y los árboles.

Realiza el siguiente ejercicio donde tú quieras y cuando tú quieras. Solo necesitas estar en un lugar donde te sientas a gusto respirando, relajándote y sonriendo. Una ligera sonrisa relaja los músculos de la cara y sosiega el cuerpo y la mente, así que no digas solo la palabra «sonríe», ¡*hazlo* de verdad! También puedes crear si lo deseas tus propias estrofas sustentadoras.

Puedes renovarte conectando con los elementos curativos de tu alrededor. También puedes sacar imágenes refrescantes de tu conciencia depósito para alimentarte por dentro. Por ejemplo, al caminar por una ciudad bulliciosa, recuerda cómo te sientes cuando estás en la montaña o a orillas del mar.

Al inhalar, soy consciente del aire.
Al exhalar, disfruto respirando el aire.
(Consciente del aire. Disfrutando.)

Al inhalar, soy consciente del sol.
Al exhalar, le sonrío al sol.
(Consciente del sol. Sonriendo.)

Al inhalar, soy consciente de los árboles.
Al exhalar, le sonrío a los árboles.
(Consciente de los árboles. Sonriendo.)

Al inhalar, soy consciente de los niños.
Al exhalar, les sonrío a los niños.
(Consciente de los niños. Sonriendo.)

Al inhalar, soy consciente del aire campestre.
Al exhalar, le sonrío al aire campestre.
(Aire campestre. Sonriendo.)

Solemos comer a toda prisa, a veces hasta lo hacemos de pie. Si este es tu caso, te ruego que te des la oportunidad de comer con atención como un ser humano y no como un robot. Antes de comer, tómate unos momentos para sentarte, sentir tu peso sostenido por la silla (o el suelo), aquieta tus pensamientos y contempla la comida y de dónde viene. La tierra, el sol, la lluvia, la labor del campesino y muchas otras condiciones se han unido para ofrecerte esta comida. Reconoce lo afortunado que eres por disponer de comida, con tantos seres que hay en el mundo que pasan hambre.

Cuando te sientes para disfrutar de una comida con otras personas, presta atención a la comida y a quienes te rodean. Puede ser una ocasión maravillosa para gozar de un auténtico espíritu de comunidad.

Al inhalar, soy consciente de la comida en mi plato.
Al exhalar, sé que soy afortunado por tener comida.
(Consciente de la comida. Sintiéndome agradecido.)

Al inhalar, soy consciente de las tierras de cultivo.
Al exhalar, le sonrío a las tierras de cultivo.
(Consciente de las tierras de cultivo. Sonriendo.)

Al inhalar, soy consciente de las numerosas
   condiciones
que me ha ofrecido esta comida.
Al exhalar, me siento agradecido.
(Consciente de las condiciones. Sintiéndome
   agradecido.)

Al inhalar, soy consciente de los que están
comiendo conmigo.
Al exhalar, me siento agradecido por su presencia.
(Comiendo juntos. Sintiéndome agradecido.)

4

la escucha profunda

La mayor parte del tiempo nuestra cabeza está tan llena de pensamientos que no tenemos espacio para escucharnos a nosotros mismos ni a ninguna otra persona. Tal vez hayamos aprendido de nuestros padres o en el colegio que debemos recordar un montón de cosas y memorizar muchas palabras, ideas y conceptos, y creemos que esa montaña de información mental nos será útil en la vida. Pero cuando intentamos mantener una conversación genuina con alguien nos cuesta oír y entender a esa persona. El silencio nos permite escucharla profundamente y responderle siendo conscientes de nuestras propias reacciones, las claves para una comunicación plena y sincera.

Muchas parejas que llevan viviendo juntas un montón de tiempo acuden a la práctica de la plena conciencia porque han dejado de escucharse. A veces, un miembro de la pareja me dice: «Es inútil. Ella no me escucha». O: «No va a cambiar. Hablar con él es como hablarle a la pared». Pero puede que el que se queja sea el que no dispone del espacio para escuchar al otro. Todos queremos que nuestra pareja nos entienda, sí…, pero también debemos ser capaces de entender a nuestro cónyuge.

Muchas personas están simplemente agobiadas de trabajo. Por lo visto no disponen del espacio para oír y entender a los demás. Tienen que pensar mucho en su profesión, ocho o nueve horas diarias, sin interrupción. Durante ese tiempo están tan inmersas en sus pensamientos que no le prestan atención a su respiración ni a ninguna otra cosa. Creen que para tener éxito en el mundo laboral no se lo pueden permitir.

escuchar serenamente

Hace poco una mujer de París vino a verme para que la orientara en su trabajo como quinesióloga. Quería saber cómo podía ser lo más eficiente posible como terapeuta para que sus pacientes sacaran el mayor provecho de sus consultas. «Si hay alegría y espaciosidad en tu corazón, tus palabras estarán cargadas de sabiduría y crearán una comunicación real», le dije. Y luego añadí lo siguiente:

Para hablar correctamente

debes mirar antes con atención

dentro de ti y lo que tienes ante ti

a fin de que tus palabras creen un entendimiento

mutuo y alivien el sufrimiento

en ambas partes.

———————

Al hablar decimos lo que creemos que es correcto, pero a veces la otra persona no lo capta por nuestra forma de expresarlo, por lo que nuestras palabras no producen el efecto deseado de aclarar la situación y fomentar un entendimiento mutuo. Debemos preguntarnos: «¿Estoy hablando por hablar o porque de verdad creo que esas palabras le ayudarán a curarse?» Cuando hablamos compasivamente, basándonos en el amor y en el conocimiento de que todos los seres estamos interconectados, se puede decir que nuestras palabras son correctas.

Cuando le respondemos en el acto a alguien, normalmente lo hacemos con la misma cantilena de siempre o llevados por nuestras emociones. Al oír su pregunta o su comentario no nos tomamos el tiempo para escuchar a esa persona con profundidad y observar a fondo lo que ha compartido con nosotros; simplemente le devolvemos la pelota soltándole lo primero que se nos pasa por la cabeza. Y eso no ayuda en nada.

La próxima vez que alguien te haga una pregunta no le respondas automáticamente. Recibe la pregunta o el comentario y deja que penetre en ti, y así verá que le has escuchado de verdad. Todos, pero en especial las personas que trabajan ayudando a los demás, se pueden beneficiar al aprender esta habilidad. Debes practicarla hasta llegar a adquirirla. Pero ante todo, no olvides que si no te escuchas profundamente a ti, no podrás escuchar profundamente a los demás.

Si deseamos gozar de alegría, libertad y calma, debemos cultivar la dimensión espiritual de nuestra vida. Practicar para restablecer esta clase de espaciosidad. Solo cuando hayamos abierto ese espacio en nuestro interior, podremos ayudar realmente a los demás. Si sales a dar un paseo o te subes al autobús —vayas donde vayas— te será muy fácil advertir si alguien siente esa espaciosidad en su interior. Tal vez hayas conocido a una persona así, o ni siquiera la conoces bien, pero te sientes cómodo a su lado porque se encuentra tranquila y relajada. No está abstraída en sus propios asuntos.

Si abres el espacio que hay en ti descubrirás que la gente, incluso alguien que tal vez te ha estado evitando (tu hija adolescente, tu pareja con la que te has peleado, tus padres), se te acercará y deseará estar a tu lado. No tienes que hacer nada, ni intentar enseñarle ninguna cosa o ni siquiera decir una sola palabra. Si haces la práctica de crear espacio y quietud dentro de ti, los demás se sentirán atraídos por tu espaciosidad. Las personas de tu alrededor se sentirán a gusto a tu lado por la cualidad de tu presencia.

Esta es la virtud de la no acción. Dejas de pensar, llevas la mente de vuelta al cuerpo y te mantienes realmente presente. La no acción es muy importante. No es lo mismo que la pasividad o la inercia, sino que es un estado de apertura dinámico y creativo. Solo tienes que sentarte, con una gran atención, con una gran calma, y cuando alguien se siente cerca de ti se sentirá muy a gusto al instante. Aunque no hayas «hecho» nada para ayudarle, recibirá mucho de ti.

Tener el espacio para escuchar con compasión es esencial para ser un amigo auténtico, un colega auténtico, un padre o una madre auténticos, una pareja auténtica. No es necesario ser un profesional de la salud mental para escuchar bien a los demás. A decir verdad, muchos no *saben* hacerlo al estar llenos de sufrimiento. Cursan estudios de psicología durante muchos años y conocen a fondo las distintas técnicas, pero en su corazón hay un sufrimiento que no han podido curar ni transformar, o no han sido capaces de ofrecerse la suficiente alegría y relajación como para equilibrar todo el sufrimiento que absorben de sus pacientes, por lo que no tienen el espacio necesario para ayudarles adecuadamente. La gente les paga mucho dinero y los va a ver una semana tras otra esperando curarse, pero si esos terapeutas no han sabido escucharse a sí mismos con compasión, no les podrán ayudar. Los terapeutas y los psicólogos son seres humanos que sufren como cualquier otra persona. Su capacidad de escuchar a los demás depende sobre todo de su capacidad de escucharse a sí mismos compasivamente.

Si deseas ayudar a los demás debes estar en paz en tu interior. Esta paz la puedes crear con cada paso, con cada respiración, así serás de ayuda. De lo contrario, no harás más que hacerle perder el tiempo a la gente, y el dinero, si eres un profesional de la salud. Lo que todos necesitamos, sobre todo, es que haya relajación, alegría y serenidad en nuestro cuerpo y en nuestra alma. Solo entonces podremos escuchar de verdad a los demás.

Lo conseguirás a base de práctica. Resérvate un tiempo cada día para estar con tu respiración y tus pasos, para llevar la mente de vuelta al cuerpo, ¡para recordar que *tienes* un cuerpo! Resérvate un tiempo cada día para escuchar con compasión a tu niño interior, para captar dentro de ti lo que te está pidiendo a gritos que escuches. Así sabrás escuchar a los demás.

escucha el sonido
de una campana

Las campanas se usan en muchas culturas de todas partes del mundo para ayudar a la gente a reunirse, a crear armonía en uno mismo y armonía con los demás. En muchos países de Asia cada familia tiene por lo menos una campanilla en su casa. Puedes utilizar cualquier clase de campana con un sonido que te guste. Usa el sonido de esa campana para acordarte de respirar, de aquietar la mente, de volver al hogar de tu cuerpo y cuidar de ti. En el budismo el sonido de la campana se considera la voz del Buda. Cuando oigas su sonido deja de hablar. Deja de pensar. Vuelve a la respiración. Escucha con todo tu ser.

Esta manera de escuchar permite que cada célula de tu cuerpo se anegue de paz y alegría. No escuchas solo con los oídos, con el intelecto, sino que invitas a todas las células de tu cuerpo a escuchar también la campana.

Una campana no ocupa demasiado espacio. Seguro que encuentras un sitio para ella sobre una mesa o un estante, donde sea que vivas, aunque compartas una habitación minúscula. Antes de invitar a la campana a sonar para volver a ti, a tu hogar, asegúrate de que el sonido de la campana te guste. No es necesario que sea una campana grande, pero su sonido tiene que ser agradable.

Prepárate cada vez para escuchar y recibir el sonido de la campana. En lugar de «tocarla», «invita» a la campana a sonar. Contémplala como una amiga, como un ser iluminado que te ayuda a despertar y a volver a ti. Si lo deseas, puedes dejar la campana sobre un pequeño cojín, como cualquier otro *bodhisattva* sentado en meditación.

Mientras escuchas la campana, inhala de manera consciente y exhala toda la tensión acumulada, desprendiéndote del hábito de tu cuerpo, y sobre todo de tu mente, de correr de un lado para otro. Aunque estés sentado, a menudo sigues corriendo de aquí para allá en tu interior. La campana te da la oportunidad de volver a ti, de disfrutar de la inspiración y la espiración de tal modo que saques toda la tensión y te detengas *por completo*. La campana, y tu respuesta a ella, te ayudan a parar el tren desbocado de los pensamientos y las emociones yendo a todo gas dentro de ti noche y día.

Por la mañana, antes de ir a trabajar o de que tus hijos se vayan al colegio, toda la familia os podéis sentar juntos y disfrutar respirando durante tres toques de campana. De esta manera empezaréis la jornada con calma y alegría. Es muy agradable sentarte a respirar, ya sea solo o con la familia, y contemplar un objeto significativo de tu casa o un árbol por la ventana y sonreír. Si haces esta práctica a diario, dispondrás de un refugio fiable en tu propia casa o vivienda. No te roba mucho tiempo y es muy gratificante. Es una práctica maravillosa, la práctica de la paz, la presencia y la armonía en el hogar.

una habitación para respirar

Reserva una habitación o una parte de ella para meditar. No hace falta que sea un gran espacio, basta con que dispongas de un pequeño rincón mientras sea un lugar tranquilo dedicado a la paz y la reflexión. Será tu habitación para respirar, una sala de meditación en pequeño. Cuando un miembro de la familia se siente a meditar en ese lugar tranquilo, los otros no deben intentar hablar con él. Todos los miembros de la familia debéis acordar que será un lugar reservado a la paz y la quietud.

Te animo a sentarte con los miembros de tu familia para tomar la decisión conjunta de que cuando el ambiente de vuestra casa se vuelva ruidoso, denso o crispado, cualquiera de vosotros tenga el derecho a ir a la habitación destinada a respirar y a invitar a la campana a sonar. Todos inhalaréis y exhalaréis de manera consciente y dejaréis que se restablezca la calma, la paz y el amor que habéis perdido a causa de algún pensamiento, palabra o acto fuera de lugar o desconsiderado.

Cada vez que uno de vosotros tenga un problema, un sentimiento desagradable o una sensación de desasosiego, tiene derecho a ir a ese espacio, sentarse, invitar a la campana a sonar y respirar. Y mientras ese miembro de la familia lo esté haciendo, el resto tenéis que respetarlo. Si sois buenos practicantes haréis un alto, escucharéis el sonido de la campana y os uniréis para respirar de forma calmada y consciente. Si lo deseáis, también podéis ir a la habitación destinada a respirar para escuchar la campana todos juntos.

Si tu pareja no está de buen humor, si tu compañero de piso tiene alguna preocupación, puedes decirle, si lo deseas: «¿Quieres que vayamos a escuchar la campana y a respirar unos minutos juntos?» Es algo muy fácil de hacer. O supón que uno de tus hijos se enfada por algo. Entonces oyes el sonido de la campana y sabes que está respirando conscientemente. Tú también puedes dejar lo que estés haciendo en ese momento para inhalar y exhalar con atención. De esta manera le apoyarás. Y a la hora de acostaros también es agradable que os sentéis juntos para disfrutar de tres sonidos de la campana, inhalando y exhalando nueve veces mientras los oís.

Las personas que practican respirar con el sonido de una campanilla gozan juntas de una gran paz y armonía. Eso es a lo que yo llamo una civilización real. No necesitas tener un montón de artilugios para ser una persona civilizada. Te basta con una campanilla, un espacio tranquilo, y tu inhalación y tu exhalación atentas.

escucha la campana
con tus antepasados

La gente cree que sus antepasados han muerto, pero está equivocada. Porque están aquí, vivos; nuestros antepasados siguen viviendo en nosotros. Los llevamos en nuestro ser, junto con sus cualidades, sus vivencias, su felicidad, su sufrimiento. Están totalmente presentes en cada célula de nuestro cuerpo. Nuestra madre y nuestro padre están en nosotros. No podemos sacárnoslos de dentro.

Cuando escuchas la campana, puedes invitar también a todas las células de tu cuerpo a escucharla, así como a todas las generaciones de tus antepasados. Si sabes escucharla, la calma penetrará en cada célula de tu cuerpo. Y además de calma, gozarás de relajación y los antepasados que hay en ti también disfrutarán del maravilloso momento presente. Tal vez en su vida sufrieron mucho y no tuvieron demasiadas oportunidades de ser felices. Ahora tienen en ti esta oportunidad.

Por lo general, creemos que escuchar consiste en escuchar a las personas de nuestro alrededor, pero también hay otras formas de escuchar. Como ya he mencionado antes, escucharnos a nosotros mismos es el primer paso para poder escuchar a los demás. Al escuchar en nuestro interior, descubrimos que no hay una voz ni un yo separados de uno mismo que parezcan surgir de la nada. Es una de las percepciones que tenemos al practicar la plena conciencia. Descubrimos que estamos muy conectados con todos los seres anteriores a nosotros que hicieron posible que nos manifestáramos en este mundo. Somos una comunidad de células y todos nuestros antepasados se encuentran en nuestro interior. Podemos oír sus voces; basta con escucharlas.

sin quedarte atrapado en las palabras

Si procuras que se haga el silencio en ti cada día, aunque no sea más que varios minutos, tenderás a quedarte mucho menos atrapado en las palabras. Al sentirte a gusto permaneciendo en silencio eres tan libre como un pájaro, y estás en contacto con la esencia profunda de las cosas.

Vo Ngon Thong, uno de los fundadores del zen vietnamita, escribió: «No me preguntes más. Nada tengo que decir, nada he dicho». Para hablar siendo conscientes de nuestras palabras, debemos practicar el silencio. Solo entonces podremos examinar con atención lo que son nuestras ideas y los nudos internos que están influyendo en nuestros pensamientos. El silencio es lo mejor que hay para observarlo todo con profundidad.

Confucio dijo: «Los Cielos no dicen nada». Sin embargo, los cielos nos cuentan muchas cosas si sabemos escucharlos.

Si escuchas en silencio,

cada gorjeo de un pájaro y

cada susurro de las ramas de un pino

agitadas por el viento te hablarán.

———

Todos queremos comunicarnos con nuestros seres queridos y hay muchas formas con las que la gente se comunica sin palabras. En cuanto usamos las palabras, las convertimos en etiquetas que tomamos por reales. Por ejemplo, palabras como «tareas», «niños», «escucha», «hombre» y «mujer» nos traen a la mente ciertas imágenes o suposiciones, por lo que nos puede costar ver la imagen completa, en su conjunto, más allá de nuestras elaboraciones mentales. Si deseamos de verdad comunicarnos con nuestros seres queridos, debemos advertir las formas no verbales con las que nos comunicamos, ya sea de manera consciente o inconsciente.

un ayuno para la mente

En muchas culturas se ayuna durante un determinado tiempo en las festividades religiosas, en rituales de iniciación o en otras circunstancias. Los ayunos también se pueden hacer por motivos de salud. Son beneficiosos no solo para el cuerpo, sino también para la mente. Cada día absorbes un montón de palabras, imágenes y sonidos, y necesitas un tiempo para digerir todas esas cosas y dejar que tu mente descanse. Un día sin los alimentos sensoriales procedentes de correos electrónicos, vídeos, libros y conversaciones es una oportunidad para vaciar tu mente y desprenderte del miedo, la ansiedad y el sufrimiento que se hayan alojado en ella.

Si no te ves capaz de aguantar un día entero sin estar expuesto a los medios de comunicación, puedes tomarte un pequeño respiro: un descanso de los sonidos, si lo deseas. Hoy día, la mayoría de la gente parece incapaz de vivir sin una «banda sonora». En cuanto están solos (caminando por la calle, conduciendo, viajando en autobús o en tren, o al salir de casa), o incluso en compañía de sus compañeros de trabajo o de sus seres queridos, intentan llenar el más pequeño espacio vacío de la mente. Si decides hacer una actividad en solitario en un estado de verdadero silencio, ya sea mientras conduces, preparas el desayuno o caminas, estarás descansando del continuo torrente de estímulos.

Conozco a una mujer que descubrió que el tipo de música que ponían en su supermercado habitual la entristecía mucho. Las canciones le recordaban una época difícil de su vida, y se descubrió rememorando los recuerdos del pasado en lugar de fijarse en sus compras. Al darse cuenta, tomó la inteligente decisión de cuidar su mente. Ahora, cuando va al supermercado, se pone tapones en los oídos, así la música ya no la distrae ni la deprime más.

Para hacer un ayuno de sonidos no hace falta que te pongas tapones en los oídos. Basta con que permanezcas en silencio varios minutos cada día. Sin palabras llegando de fuera y sin palabras dando vueltas en tu cabeza, podrás escucharte realmente a ti mismo varios minutos al día. Es un regalo maravilloso que te haces tanto a ti como a los demás, porque también te permite escucharles con más atención.

práctica:
los cuatro mantras

Todos, incluso un niño, podemos practicar los Cuatro Mantras. Estos mantras te ayudan a cultivar la escucha profunda y la plena presencia en la relación que mantienes contigo mismo y con los seres queridos. Un mantra es una especie de fórmula mágica que puede transformar una situación al instante. La eficacia de esta práctica reside en tu plena conciencia y en tu concentración. Sin estos elementos, no funcionará.

Para practicar los mantras es esencial aquietar tus pensamientos y sentirte sereno y espacioso por dentro. De lo contrario, no podrás estar realmente ahí para los demás. Mantén esa calma y espaciosidad incluso cuando la otra persona te responda. Sobre todo, cuando practiques el tercer y el cuarto mantras, si la otra persona tiene algo que decirte, asegúrate de seguir tu respiración y de escucharla en silencio y con paciencia, sin juzgarla ni reaccionar. Cuando pronuncias los Cuatro Mantras estás usando el silencio interior, junto con unas pocas palabras cuidadosamente elegidas, para traer curación, reconciliación y entendimiento mutuo. Estás haciendo espacio dentro de ti y ofreciendo tu espaciosidad a la otra persona.

El primer mantra es «querido-a, estoy aquí para ti».

Cuando amas a alguien deseas ofrecerle lo mejor de ti y eso es tu auténtica presencia. Solo puedes amar cuando estás *aquí*, cuando estás presente al cien por cien. Si recitas mecánicamente el mantra, no servirá de nada. Estarás aquí si eres consciente mientras respiras o caminas, o haces cualquier otra cosa que te ayude a estar presente como una persona libre para ti y para la persona amada. Usa primero este mantra contigo mismo, para volver a ti y crear en tu interior el silencio y el espacio que te permitirán estar realmente presente para la otra persona y decir de verdad el mantra.

El segundo mantra es: «Querido-a, sé que estás aquí y soy muy feliz». Amar significa advertir la presencia de la persona amada. Y solo podrás hacerlo después de haberte preparado diciendo este mantra, ya que a no ser que estés *aquí* al cien por cien, no reconocerás la presencia del otro por completo, aunque sienta que le quieres mucho.

Al estar presente y atento te das cuenta de cuándo la persona que amas está sufriendo. En ese momento intenta al máximo estar plenamente presente. Y luego acércate a ella y pronuncia el tercer mantra: «Querido-a, sé que estás sufriendo, por eso estoy aquí para ti». Cuando sufres, quieres que la persona que amas se dé cuenta de tu sufrimiento, es algo muy humano y natural. Si no se percata de él o lo ignora, sufres mucho más. De manera que usa este mantra para comunicarle que eres consciente de su sufrimiento; saberlo le producirá un gran alivio. Incluso antes de *hacer* nada para ayudarla, su sufrimiento ya habrá disminuido.

El cuarto mantra, que no necesitarás decir a menudo (aunque es muy poderoso cuando te hace falta) es: «Querido-a, estoy sufriendo. Ayúdame, por favor». Lo pronuncias cuando estás sufriendo, sobre todo al creer que el sufrimiento te lo ha causado otro. Y cuando ese otro es la persona que más amas, todavía sufres más. Así que te acercas a ella y, advirtiendo tu doloroso sentimiento, pronuncias con todo tu ser el cuarto mantra: «Querido-a, estoy sufriendo mucho. Ayúdame, por favor». Dilo aunque te cueste. A base de práctica, lo conseguirás. Cuando sufres quieres estar solo. Aunque la otra persona intente acercarse para hacer las paces contigo, te sigues aferrando a tu enojo. Es una reacción muy humana y habitual. Pero cuando amamos a una persona, la *necesitamos*, sobre todo si estamos sufriendo. Crees que ha sido ella la que te ha hecho sufrir, pero ¿estás seguro? Es posible que estés en un error. Tal vez no pretendía hacerte daño. Quizá la has malinterpretado o te has hecho una idea equivocada de la situación.

No te apresures a decir este mantra. Cuando sientas que estás preparado, acércate a la persona amada, respira hondo y se tú mismo al cien por cien. Y entonces di el mantra con todo tu ser. Tal vez no quieras hacerlo. Quizá estés deseando soltarle que ya no la necesitas. Después de todo, te ha hecho daño. Pero no dejes que tu orgullo se interponga entre los dos. En el amor verdadero el orgullo no tiene cabida. Si tu orgullo no desaparece, sabrás que debes practicar para transformar tu amor en amor auténtico. Meditar caminando, meditar sentado y observar tu respiración con regularidad para recuperar la calma te ayudará a usar sin ningún problema el cuarto mantra la próxima vez que estés sufriendo.

5

el poder de la quietud

Recuerdo que en 1947 residí como estudiante durante un tiempo en el Instituto Budista del Templo de Bao Quoc, de Hue (Vietnam), cerca de mi templo raíz (el templo donde me había hecho monje y en el que vivía normalmente). El ejército francés había ocupado la región y establecido una base militar en Hue. Con frecuencia se desataba a nuestro alrededor un fuego cruzado entre los soldados franceses y los vietnamitas. Los aldeanos que vivían en la cima de las colinas acabaron levantado pequeñas fortalezas para protegerse. Había noches en las que se encerraban en sus casas para evitar el tiroteo. Por la mañana, al despertarse, solían encontrarse cadáveres de la batalla de la noche anterior con consignas escritas con una mezcla de cal y sangre por el camino. De vez en cuando los monjes pasaban por aquellos caminos apartados; eran los únicos que se atrevían a hacerlo. En cambio, los habitantes de la ciudad de Hue, que habían regresado hacía poco tras haber sido evacuados, los evitaban a toda costa. Aunque Bao Quoc se encontraba cerca de una estación de tren, casi nadie se arriesgaba a ir allí; tal era el horror que despertaba la zona.

Una mañana me fui de Bao Quoc para visitar mi templo raíz, como hacía cada mes. Era muy temprano, las puntas de las briznas de hierba todavía estaban cubiertas de rocío. Dentro de una bolsa de tela llevaba mi túnica ceremonial y varios sutras. En una mano sostenía el típico sombrero cónico vietnamita. Me sentía alegre y feliz por la perspectiva de ver a mi maestro, mis hermanos monásticos y el antiguo y venerado templo.

Al empezar a subir una colina, oí una voz llamándome. En la cima, por encima del camino, vi a un soldado francés haciéndome señas con la mano. Creyendo que se burlaba de mí por ser monje, no le hice caso y seguí andando. Pero de pronto me dio la impresión de que no debía tomarme la situación a la ligera. Oí el repiqueteo de las botas del soldado corriendo a mis espaldas. Quizá me quería cachear; tal vez la bolsa de tela que llevaba le parecía sospechosa. Me detuve y le esperé hasta que se acercó. Era un soldado joven con un rostro delgado y bello.

—¿Adónde vas? —me preguntó en vietnamita.

Por su acento deduje que era francés y que su conocimiento del vietnamita era muy limitado.

Le sonreí.

—Si te hubiera respondido en vietnamita, ¿me habrías entendido? —le pregunté en francés.

Al descubrir que hablaba francés, se le alegró la cara de golpe. Me dijo que no pretendía cachearme y que solo quería preguntarme algo.

—Solo quiero saber de qué templo eres —dijo.

Cuando le respondí que vivía en el Templo de Bao Quoc, mostró un gran interés por él.

—El Templo de Bao Quoc —repitió—. ¿Es el templo grande de la colina que hay cerca de la estación de tren?

Al asentir yo con la cabeza, me señaló con el dedo una pequeña estación de bombeo para extraer agua en la ladera de la colina. Por lo visto era su puesto de guardia.

—Si no estás demasiado ocupado, me encantaría que subieras a charlar un poco conmigo —me sugirió.

Nos sentamos cerca de la estación de bombeo y me contó que diez días atrás había visitado con otros cinco soldados más el Templo de Bao Quoc. Habían ido al templo a las diez de la noche en busca de militantes del Vietminh, los resistentes vietnamitas, ya que les habían comunicado que se reunirían allí.

—Estábamos decididos a capturarlos. Fuimos armados con fusiles. Teníamos órdenes de arrestarlos e incluso de matarlos si era preciso. Pero cuando entramos en el templo, nos quedamos sorprendidos.

—¿Porque había muchos resistentes vietnamitas?

—¡No! ¡No! —exclamó él—. Encontrar dentro militantes del Vietminh no nos habría sorprendido en absoluto. Les habríamos atacado por más numerosos que fueran.

Me quedé desconcertado.

—¿Qué fue entonces lo que os sorprendió?

—Lo que pasó fue de lo más inesperado. Normalmente siempre que hacemos registros en alguna parte, los lugareños huyen corriendo o son presa del pánico.

—Les han hecho unas cosas tan horribles que huyen aterrados —le expliqué.

—Yo no tengo por costumbre aterrorizar o amenazar a la gente —repuso—. Tal vez se asustan tanto porque los soldados que llegaron antes que nosotros les hicieron daño.

»Pero cuando entramos en el recinto del Templo de Bao Quoc fue como entrar en un lugar desierto. La luz que difundían las lámparas de aceite era muy tenue. Avanzamos por la gravilla pisando fuerte para hacer ruido aposta, y me dio la impresión de que el templo estaba lleno de gente, pero no oímos a nadie. Reinaba un absoluto silencio. Los gritos que lanzó uno de mis compañeros me produjeron una gran incomodidad. Nadie respondió. Encendí la linterna y al enfocar con el haz de luz una sala que parecía vacía, vi cincuenta o sesenta monjes sentados en quietud meditando en silencio.

—Claro, porque llegasteis a la hora de nuestra sesión nocturna de meditación —le expliqué asintiendo con la cabeza.

—Sí, fue como si hubiéramos irrumpido en un extraño campo energético cargado de una fuerza invisible —afirmó—. Nos quedamos tan desconcertados que dimos media vuelta y regresamos al patio. ¡Los monjes nos ignoraron! No dijeron una sola palabra como respuesta, ni mostraron el menor signo de pánico o de miedo.

—No os ignoraron, simplemente estaban concentrados en la respiración, eso es todo.

—La calma de esos monjes me fascinó —admitió—. Se ganaron todo mi respeto. Nos quedamos plantados en silencio en el patio, al pie de un árbol enorme, y esperamos tal vez media hora. Luego oímos una serie de campanas sonando y el templo volvió a la actividad habitual. Un monje encendió una antorcha y nos invitó a pasar al interior, pero le contamos por qué estábamos allí y luego nos marchamos sin más. Aquel día mis ideas sobre los vietnamitas empezaron a cambiar.

»Entre nosotros hay muchos jóvenes —prosiguió—. Añoramos nuestro hogar, echamos mucho de menos a nuestra familia y a nuestro país. Nos han enviado aquí a matar a militantes del Vietminh, pero no sabemos si serán ellos los que nos matarán a nosotros y ya no volveremos nunca más a casa, con nuestra familia. Ver a los lugareños trabajar con tanto ahínco para reconstruir sus vidas destrozadas me recuerda las vidas destrozadas de mis parientes en Francia. La vida apacible y serena de esos monjes me hace pensar en las vidas de los seres humanos en la Tierra. Y me pregunto por qué hemos venido a este lugar. ¿De dónde viene ese odio tan fuerte entre los militantes del Vietminh y los franceses que nos ha hecho viajar hasta aquí para luchar contra ellos?

Tremendamente emocionado, le cogí la mano. Le conté la historia de un viejo amigo mío que se había alistado para luchar contra los franceses y que había ganado muchas batallas. Un día llegó al templo donde yo residía y me abrazó echándose a llorar desconsoladamente. Me contó que al atacar una fortaleza, mientras estaba agazapado detrás de unas rocas, vio a dos soldados franceses jóvenes sentados charlando animadamente. «Cuando vi las caras alegres, bellas e inocentes de aquellos chicos, fui incapaz de dispararles, mi querido hermano. Tal vez los demás me tachen de cobarde y blando y digan que si todos los combatientes vietnamitas fueran como yo al cabo de poco se habrían apoderado de nuestro país. Pero por un instante, ¡amé al enemigo tanto como mi madre me ama a mí! Sabía que la muerte de esos dos jóvenes causaría un gran sufrimiento a sus madres en Francia, el mismo que mi madre sintió al saber que mi hermano más pequeño había muerto.»

—¿Te das cuenta? —le dije al soldado francés—. El corazón de ese joven soldado vietnamita estaba lleno de amor por el género humano.

El joven se quedó callado, absorto en sus pensamientos. Quizá, como yo, era cada vez más consciente de lo absurdas que son las matanzas, de la calamidad de la guerra y del sufrimiento de tantos jóvenes muriendo de una forma injusta y terrible.

El sol estaba ya en lo alto del cielo, había llegado el momento de irme. El soldado me dijo que se llamaba Daniel Marty y que tenía veintiún años. Lo habían enviado a Vietnam poco después de acabar el instituto. Me mostró fotografías de su madre, y de su hermano y su hermana más pequeños. Nos separamos con la sensación de habernos comprendido mutuamente y me prometió que iría a visitarme al templo los domingos.

Durante los meses siguientes me iba a ver en cuanto le era posible y yo le llevaba a la sala de meditación del templo a practicar conmigo. Le puse el nombre espiritual de Thanh Luong, que significa «una vida pacífica pura y refrescante». Le enseñé el vietnamita —solo sabía las pocas frases que le habían enseñado durante el período de adiestramiento—, y al cabo de dos meses ya podíamos conversar un poco en mi lengua natal. Me contó que ya no tenía que hacer más incursiones como antes y compartí con él el gran alivio que esta noticia le producía.

Thich Nhat Hanh

Cuando recibía cartas de su familia, me las mostraba. Al verme, unía las palmas de las manos para saludarme.

Un día le invité a compartir con nosotros la comida vegetariana que tomábamos en el templo. Aceptó encantado la invitación y puso por las nubes las deliciosas aceitunas negras y los platos aromáticos que le servimos. La fragante sopa de arroz con setas silvestres que uno de los monjes había preparado le gustó tanto que no se podía creer que fuera vegetariana. Le tuve que explicar los detalles de cómo la habían elaborado para convencerle.

Había días en los que, sentados junto a la torre del templo, conversábamos sobre espiritualidad y literatura. Cuando yo elogiaba la literatura francesa, le brillaban los ojos de alegría, se sentía orgulloso de la cultura de su país. Nuestra amistad se volvió muy estrecha.

Pero un día en una de sus visitas me anunció que iban a enviar su unidad a otra zona y que lo más probable era que volviera pronto a Francia.

Le acompañé hasta el arco de los tres portales de la entrada del templo y nos abrazamos emocionados al despedirnos.

—Te escribiré, hermano —me dijo.

—Me alegrará mucho recibir una carta tuya y yo te responderé.

Un mes más tarde, recibí una carta suya en la que me contaba que iba a volver a Francia, pero que luego iría a

Argelia. Me prometió escribirme desde allí. Desde entonces ya no he sabido nada más de él. ¡Quién sabe dónde estará ahora! ¿Seguirá con vida? Pero lo que sí sé es que la última vez que lo vi estaba en paz consigo mismo. Aquel momento de profundo silencio en el templo lo había cambiado. Dejó que su corazón se llenara de las vidas de todos los seres vivos y vio el sinsentido y la destructividad de la guerra. Y todo esto fue posible gracias a ese instante de *detención* total y absoluta y de apertura al poderoso, curativo y milagroso océano del llamado silencio.

Para manifestar tu verdadera naturaleza debes detener el monólogo interior constante que llena todo el espacio que hay en ti. Puedes empezar a hacerlo apagando cada día por unos momentos la Radio del PSP, así dedicarás en su lugar ese espacio mental a un gozoso silencio.

la respiración consciente

Como ya has visto, la manera más fácil de liberarte de la rueda imparable de pensar sin parar es aprendiendo a ser consciente de la respiración. Respiramos todo el tiempo, pero pocas veces prestamos atención a nuestra respiración. Es muy inusual que *gocemos* respirando.

La respiración consciente es el placer que te ofreces cuando te centras al cien por cien en la inspiración y la espiración durante todo lo que dure. Si prestas atención mientras respiras, es como si las células de tu cerebro y las del resto de tu cuerpo entonaran la misma canción.

Al ser consciente de la respiración

vas a tu interior. Tu cuerpo está respirando,

y tu cuerpo es tu hogar.

A cada respiración vuelves

al hogar que hay en ti.

———————

Tal vez haya mucha tristeza, ira o soledad en ti. Cuando conectas con tu inhalación y tu exhalación, percibes esos sentimientos sin temer quedarte apresado en ellos. Tu respiración consciente es una forma de decir: «No te preocupes, estoy aquí, en casa; yo me ocuparé de ese sentimiento».

Tu respiración consciente es tu verdadero hogar. Si quieres que tus aspiraciones se cumplan, si quieres crear una conexión con tu familia y tus amigos, si quieres ayudar a tu comunidad, tienes que empezar con la respiración. Cada respiración, cada paso, cada acto realizado con plena atención te alimentará.

hacer espacio para la plena conciencia es más fácil de lo que crees

Muchas personas creen que en su vida no hay espacio para cultivar la plena conciencia. Pero lo cierto es que llevar una vida consciente es más una cuestión de reorientarte, de recordar tus verdaderas intenciones, que de embutir en tu agenda diaria una actividad más llamada «meditación». Para practicar la plena conciencia no hace falta que estés en tu espacio dedicado a la meditación o que esperes a que te quede una hora libre, aunque es sin duda maravilloso gozar de esas actividades si tienes tiempo para realizarlas. La respiración silenciosa y atenta la puedes hacer en cualquier momento. Estés donde estés, puede convertirse en tu lugar sagrado si estás ahí, relajado y sereno, siguiendo tu respiración y manteniéndote concentrado en lo que estás haciendo.

Cuando te despiertes por la mañana, mientras estás aún en la cama, puedes empezar el día respirando con plena atención. Antes de nada, aprovecha ese momento para seguir tu inhalación y tu exhalación y advertir que tienes veinticuatro flamantes horas por delante. ¡Son un regalo de la vida!

Después de mi ordenación como monje novicio, tuve que memorizar muchos versos cortos para que me ayudaran a practicar la plena conciencia. El primero que aprendí dice lo siguiente:

Al despertar por la mañana, sonrío.
Tengo por delante veinticuatro horas de nuevo.
Prometo vivirlas plenamente
y aprender a contemplar todo cuanto me rodea
con la mirada de la compasión.

Como puedes ver, el verso tiene cuatro estrofas. La primera es para que la recites mentalmente en la inhalación. La segunda, en la exhalación. La tercera, en la siguiente inhalación. Y la cuarta, en la otra exhalación. Mientras respiras, usas el verso para prestar atención a la dimensión sagrada de lo que estás haciendo. Quieres vivir las veinticuatro horas que has recibido de una manera que la paz y la felicidad sean posibles. Estás decidido a no desperdiciar tus veinticuatro horas, porque sabes que son un regalo de la vida y cada mañana las vuelves a recibir de nuevo.

Si te sientas en una postura cómoda, meditar sentado es una manera maravillosa de respirar con plena atención. Muchas personas no se reservan un tiempo para sentarse a respirar simplemente con atención. Consideran que no es rentable o que es un lujo que no se pueden dar. La gente dice: «El tiempo es oro». Pero el tiempo es más que dinero. Es *vida*. La simple práctica de sentarte en quietud con regularidad es muy curativa. Detenerte y sentarte sin hacer nada más es una buena forma de estar atento a la respiración.

Al igual que puedes decidir apagar el televisor cuando comes, también puedes apagar la Radio del PSP durante las comidas al prestar atención a la respiración, la comida y las personas que están comiendo contigo. Cuando limpies la cocina o laves los platos, puedes hacer esas tareas con la mente despierta, con un espíritu de amor, alegría y gratitud. Cuando te cepilles los dientes, puedes decidir hacerlo con plena conciencia. No pienses en otras cosas, pon toda la atención en cepillarte los dientes. Como dedicas dos o tres minutos a ello, durante ese tiempo sé consciente de tus dientes y de estar limpiándotelos. Al hacerlo de esta manera, te sentirás feliz. Cuando vayas al lavabo disfruta también de ese momento. La plena conciencia cambiará tu relación con todo. Te ayudará a estar realmente presente y a disfrutar de verdad de lo que estés haciendo, sea lo que sea.

Caminar con plena atención es otra oportunidad para crear momentos de felicidad y de curación en tu vida, como has visto antes. Cada vez que das un paso, mientras inhalas y exhalas, puedes gozar de la sensación de tus pies sintiendo la tierra. Cuando das un paso sabiendo que lo estás dando, vuelves a ti. Cada paso te ayuda a conectar con tu cuerpo. Te lleva de vuelta a casa, al aquí y el ahora. Así que cuando camines desde el aparcamiento o la parada del autobús a tu lugar de trabajo, cuando vayas a la estafeta de correos o al supermercado, ¿por qué no volver a *casa* con cada paso?

En cualquier actividad, cada vez que entras en un estado de quietud y atención puedes conectar contigo mismo. La mayor parte del tiempo caminamos sin saber que estamos caminando. Estamos de pie en un lugar sin saber que estamos ahí, porque nos hallamos a kilómetros de distancia al tener la cabeza en otra parte. Estamos vivos, pero no somos conscientes de *ello*. Estamos perdiéndonos a nosotros mismos continuamente. Por eso aquietar tu cuerpo y tu mente y sentarte sin más para estar contigo mismo es un acto revolucionario. Te sientas y detienes ese estado de olvido: de perderte a ti mismo, de no ser tú. Cuando te sientas puedes volver a tu hogar y conectar contigo mismo. Para hacerlo no te hace falta un teléfono inteligente ni un ordenador. Basta con sentarte con plena atención e inhalar y exhalar siendo consciente de tu respiración, y al cabo de unos segundos ya vuelves a estar en contacto contigo mismo. Sabes lo que está ocurriendo: en tu cuerpo, en tus sentimientos, en tus emociones y en tus percepciones. Ya estás en casa y puedes cuidar bien de ella.

Tal vez llevas mucho tiempo fuera de casa y por eso está hecha un desastre. ¿Cuántos errores has cometido por ignorar cómo se sentía tu cuerpo, qué emociones afloraban dentro de ti, en qué percepciones equivocadas se basaban tus pensamientos y tus palabras?

Volver realmente a tu hogar significa sentarte y estar contigo mismo, volver a sentirte y aceptar la situación tal como es. Aunque sea muy mala, la aceptas, y este es el punto de partida para reorientarte, de esta manera podrás tomar una dirección más positiva en tu vida. A menudo pienso en Thanh Luong, que pudo disfrutar de ese momento de silencio profundo en el templo y llevárselo consigo en medio del caos de la guerra. Aunque estés metido hasta el cuello en tu propio caos, siempre puedes encontrar a diario un momento para hacer el silencio en ti. Esto te ayudará a encontrar la calma, por más mala que sea la situación, e incluso puede que te muestre el camino para superarla.

En una ocasión dirigí un retiro en un monasterio enclavado en las montañas del norte de California. Al comenzarlo se declaró cerca un gran incendio forestal. Mientras hacíamos la práctica de meditar sentados y meditar andando, oíamos el zumbido de muchos helicópteros. No se puede decir que fuera un sonido agradable. Muchos de nosotros, incluido yo, éramos vietnamitas o vietnamitas-americanos, y para nuestros oídos ese sonido significaba fusiles, muerte, bombas y más muerte. Habíamos vivido una guerra atroz y el zumbido constante que producían los aparatos nos perturbaba enormemente al recordarnos aquella violencia. Incluso les resultaba estridente y molesto a los asistentes que no habían vivido la guerra.

Pero los helicópteros no se iban a ir, y nosotros tampoco. Así que decidimos escuchar el sonido que emitían con plena conciencia. Al oír un sonido agradable, como el de una campana, *quieres* centrarte en él. Cuando escuchas atentamente un sonido agradable te resulta fácil estar más presente y sentirte feliz. Pero en esa ocasión tuvimos que escuchar con una actitud positiva el zumbido de los helicópteros. La plena conciencia nos permitió recordarle a nuestro ser reactivo que no se trataba de unos helicópteros volando en una situación de guerra. Esos helicópteros estaban ayudando a apagar las llamas destructivas de un incendio. Al advertirlo, logramos transformar la sensación desagradable que nos producía en un sentimiento de agradecimiento y aprecio. Como el sonido de los helicópteros se escuchaba cada par de minutos, de no haber practicado la plena conciencia de aquella forma la situación nos hubiera resultado muy pesada.

De modo que todo el mundo —éramos cerca de seiscientas personas en el retiro—, inhalamos y exhalamos con atención escuchando el sonido de los helicópteros. Recitamos mentalmente el verso para escuchar la campana, aunque lo cambiamos un poco adaptándolo a la situación:

Escucho.
Escucho.
El sonido de este helicóptero
me lleva de vuelta al momento presente.

Y manejamos la situación estupendamente. Transformamos el sonido de los helicópteros en una ayuda.

cinco minutos para la vida

Si eres un principiante, intenta dedicar cinco minutos cada día a caminar de manera consciente en silencio. Cuando estés solo, puedes hacerlo tan despacio como quieras. Tal vez te ayude empezar a caminar con mucha lentitud, dando un paso a cada inspiración y otro a cada espiración. Mientras inspiras, das un paso, de tal modo que con ese paso, con esa inspiración, tu mente pensante se detiene del todo. Si no se detiene del todo, párate y

mantente en ese lugar inhalando y exhalando con atención hasta que tus pensamientos se detengan. Lo sentirás. Cuando entras en un estado de plena conciencia,
algo en ti cambia de verdad, física y mentalmente.

Si logras dar un paso de esta manera, sabrás que puedes dar dos de igual modo. Empieza dedicándole solo
cinco minutos, pero tal vez descubras que te gusta tanto
caminar así que deseas hacerlo varias veces al día.

Todos estamos muy ocupados. Siempre hay algo que
nos aleja del momento presente. No tenemos la oportunidad de vivir la vida plenamente. La plena conciencia
te permite darte cuenta de ello. Y eso es ya un estado de
claridad. De manera que empiezas desde esa claridad,
ese despertar: quieres vivir realmente tu vida, quieres
detenerte en lugar de alejarte de ella. Y al sentarte y respirar, al caminar o incluso al cepillarte los dientes con
plena conciencia, te *detienes*. En cualquier momento
del día puedes practicar el detenerte, incluso mientras
conduces.

Te liberas, te vuelves libre.

Y con esa clase de libertad,

con esa clase de liberación,

la curación es posible. La vida

es posible. La alegría es posible.

Hoy día la gente habla de equilibrar la vida profesional con la personal. Solemos ver el trabajo por un lado y la vida por el otro, como dos cosas distintas, pero no tiene por qué ser así. Después de ir en coche al trabajo y de dejarlo en el aparcamiento, puedes elegir entre ir caminando felizmente y con plena atención a la oficina o hacerlo a toda prisa y con la cabeza en otra parte. De todos modos, tienes que recorrer esa distancia. Si sabes *cómo* caminar, cómo estar ahí para ti mientras caminas, cada paso que des desde el aparcamiento hasta tu oficina te producirá alegría y felicidad. A cada paso puedes liberar la tensión de tu cuerpo. A cada paso puedes percibir las maravillas de la vida.

Cuando caminas con atención, inviertes el cien por cien de ti en caminar. Eres consciente de cada paso que das: eres *tú* el que está caminando con atención en lugar de ser la energía del hábito la que tira de ti. Eres dueño de ti mismo. El rey o la reina que toma las decisiones. Caminas movido por tu intención de caminar y en cada paso eres libre. Das cada paso sabiendo que lo estás dando, y cada paso atento te permite ver las maravillas de la vida que tienes a tu alcance en el presente. Al caminar así inviertes todo tu cuerpo y tu mente en cada paso. Por eso, cuando caminas, no piensas. Si pensaras, tus pensamientos te impedirían caminar con atención. Ni tampoco hablas, porque si hablaras tus palabras te impedirían caminar con atención.

Caminar de esta manera es un placer. Cuando la plena conciencia y la concentración están vivas en ti, eres tú por completo, no te pierdes a ti mismo. Caminas como un buda. Sin la plena conciencia, ves el caminar como una imposición, una tarea. Con la plena conciencia, en cambio, lo ves como pura vida.

Asimismo, cuando lavas los platos de la cena, lo que determinará si vives esos momentos como una carga o como pura vida es *cómo* lo haces. Hay una forma de lavar los platos que te ayuda a disfrutar de cada minuto. Cuando friegas el suelo, cuando te preparas el desayuno… si sabes hacerlo con plena conciencia, es *pura vida* en vez de una *tarea* engorrosa.

Las personas que se empecinan en separar la vida personal de la laboral se pasan la mayor parte del tiempo sin vivirla. Tienes que encontrar la manera de llevar atención, espaciosidad y alegría a *todas* tus actividades y no solo al hacer algo que se parece a la diversión o a la meditación. Si llevas la plena conciencia a cada parte de tu vida, dedicando cinco minutos a detenerte, la división imaginada entre vida y trabajo desaparecerá y cada parte del día será un momento para ti.

práctica: medita caminando

La gente dice que caminar por el espacio o sobre el agua o el fuego es un milagro, pero según mi opinión, el verdadero milagro es caminar serenamente por la Tierra. La propia Madre Tierra es un milagro. Cada paso que damos es un milagro. Nuestros pasos atentos por este hermoso planeta nos brindan curación y felicidad. Meditar caminando es una forma maravillosa de volver al momento presente, de volver a la vida.

Cuando medites caminando, sé consciente de tus pies, de la tierra y del momento en que entran en contacto con ella. Respira con naturalidad y ajusta los pasos a la cadencia de tu respiración en lugar de hacer lo contrario. Cada vez que inspires da unos pocos pasos, y cada vez que espires da otros más. Como la exhalación suele ser más larga que la inhalación, tal vez necesites dar más pasos en ella. En determinados momentos y lugares, quizá cuando no haya demasiada gente alrededor, te resultará muy renovador caminar despacio, dando un paso con cada inhalación y otro con cada exhalación. Cada vez que inhales y exhales, di en silencio: «Inspirando», y luego, «Espirando», o «He llegado», y luego, «A casa». A cada paso que das llegas a tu verdadero hogar, el momento presente.

Si te sientes perdido, si estás en una situación caótica o te da una cierta pereza, no te preocupes, no hace falta que te esfuerces en respirar con atención o en meditar sentado o caminando. Te basta con respirar, te basta con sentarte, te basta con caminar. Sé simplemente uno con la acción. Sé el caminar sin más.

En una ocasión, en el año 2003, estaba en Corea a punto de dirigir una meditación caminando por las calles de Seúl. Habían acudido muchas personas para unirse a ella. Pero como teníamos una masa compacta de periodistas y fotógrafos pegados hombro con hombro frente a nosotros, me fue imposible empezar a caminar. Y dije: «Querido Buda, no puedo hacerlo. Te ruego que camines *tú* por mí». Di un paso. Al instante se abrió un camino ante mí y pude seguir avanzando. Después de aquella experiencia, escribí los siguientes versos. Todavía los recito en silencio cuando medito caminando. Quizá a ti también te sean de ayuda.

Deja que el Buda respire.
Deja que el Buda camine.

No necesito respirar.
No necesito caminar.

El Buda está respirando.
El Buda está caminando.

Disfruto de la respiración.
Disfruto del caminar.

No hay más que respiración.
No hay más que caminar.

No existe el que respira.
No existe el que camina.

6

presta atención

Cuanto más a menudo seas capaz de volver al hogar que hay en ti y cuanto más tiempo pases en plena conciencia, más advertirás tu propio sufrimiento. Aunque la respiración atenta y la quietud te pongan en contacto con la alegría, también es probable que te conecten con el dolor (sobre todo al principio), porque te das más cuenta del sufrimiento interior del que has estado evadiéndote.

Tenemos la tendencia natural de querer huir del sufrimiento. Pero sin sufrimiento no podríamos desarrollarnos plenamente como seres humanos.

Al ver el sufrimiento de esta forma, acabamos sufriendo mucho menos y además lo podemos transformar con más facilidad.

Pero si en su lugar seguimos intentando huir de él, enterrarlo en los recovecos más profundos de nuestra mente, no haremos más que perpetuarlo.

Si nunca sufrieras, no tendrías la base

ni la fuerza para desarrollar la comprensión

y la compasión. Sufrir es muy importante.

Tienes que aprender a

advertir e incluso a aceptar el sufrimiento,

porque ser consciente de él te ayuda a crecer.

————————

A menudo evitamos el silencio creyendo que así evitaremos el sufrimiento, pero en realidad dedicar unos momentos de quietud para volver al hogar que hay en ti siendo consciente de ello es lo único que te ayudará a curar tu sufrimiento.

reconoce el sufrimiento

Muchas de mis enseñanzas están concebidas para ayudar a la gente a reconocer su sufrimiento, a aceptarlo y a transformarlo. Lo cual es en sí todo un arte. Debes ser capaz de sonreírle a tu sufrimiento con serenidad, del mismo modo que le sonríes al barro, porque sabes que solo cuando dispones de barro (y le sabes dar un buen uso) crecerán flores de loto en él.

Hay grandes causas de sufrimiento, heridas emocionales importantes que siguen presentes en nosotros durante mucho más tiempo que la herida original. Pero también hay lo que los franceses llaman *les petites misères*, los pequeños sufrimientos que pueden irnos desgastando día tras día. Si sabemos manejarlos no dejaremos que las llamadas «contrariedades de la vida cotidiana» nos afecten. Cuando el sufrimiento se ha convertido en un montón de energía bloqueada —sea debido a grandes adversidades o a *les petites misères*— tenemos que saber advertirlo y aceptarlo.

El sufrimiento que sentimos tal vez lo hayamos heredado de nuestro padre, nuestra madre o nuestros antepasados. Cuando somos capaces de reconocerlo, aceptarlo y transformarlo, no solo lo hacemos por nosotros mismos, sino también por nuestro padre, nuestra madre y nuestros antepasados.

El dolor es inevitable. Está en todas partes. Además del sufrimiento individual y el sufrimiento colectivo como seres humanos, también existe el sufrimiento desencadenado por la naturaleza. Los desastres naturales y no naturales ocurren a diario por todos los rincones del planeta: tsunamis, incendios forestales, hambrunas, guerras. Niños inocentes mueren cada día por carecer de agua potable, alimentos o medicamentos. Estamos conectados a esos sufrimientos, aunque no los padezcamos en carne propia. Cuando un bebé, una anciana o un joven o una joven mueren, en cierto modo nosotros también morimos. Y, sin embargo, seguimos al mismo tiempo con vida, o sea, que de algún modo siguen viviendo en nosotros. Lo cual es una meditación en sí misma. Comprender esta profunda verdad nos motiva a desarrollar nuestra fuerza de voluntad, nuestro deseo de vivir de un modo que ayude a los demás a seguir también con vida.

la isla interior

Cuando regresas a tu propio hogar te puedes relajar y soltar, ser tú mismo. Te sientes acogido, cómodo, seguro y satisfecho. En tu hogar la soledad desaparece.

Pero ¿dónde está tu verdadero hogar?

Tu verdadero hogar es aquello que el Buda

llamó la isla interior, el lugar

apacible que hay en tu interior. A menudo no

te das cuenta de que está ahí, ni siquiera

sabes dónde estás, porque hay un

ambiente ruidoso tanto dentro como fuera de ti.

Necesitas una cierta quietud para

descubrir esa isla interior.

Cada vez que te sientes mal, agitado, triste, asustado o preocupado, puedes volver a tu hogar, a tu isla de la plena conciencia respirando de manera consciente. Si practicas la plena conciencia con regularidad, volviendo a tu isla interior cuando *no estés* pasando por ninguna dificultad, cuando tengas un problema te resultará mucho más fácil y placentero encontrar ese lugar seguro y volver a casa de nuevo. Eres lo bastante afortunado como para conocer la práctica de la plena conciencia. Te ruego que hagas un buen uso de ella para reforzar la conexión con tu verdadero hogar. No esperes a que te golpee una ola gigantesca para intentar volver a tu isla. Practica el volver a ella tan a menudo como te sea posible al vivir los momentos cotidianos de tu vida con plena conciencia. Así, cuando lleguen de manera inevitable los momentos difíciles, volver a casa te resultará de lo más fácil y natural.

Caminar, respirar, sentarte, comer, tomar el té de manera consciente, son formas prácticas de tomar refugio de las que puedes disfrutar muchas veces cada día. En ti hay la semilla de la plena conciencia; esta semilla está siempre ahí. Tu inhalación y tu exhalación están siempre a tu alcance. Tienes una isla dentro de ti. Si lo practicas a diario, podrás refugiarte en ella por medio de la plena conciencia.

el monje de los cocos

En Vietnam había un monje al que llamaban «El monje de los cocos» porque le gustaba trepar a una plataforma en lo alto de un cocotero para meditar sentado en ese lugar. Allí arriba se estaba más fresquito. De joven había estudiado la carrera de ingeniería en Francia. Pero al volver a Vietnam y ver el país asolado por la guerra, ya no quiso ser ingeniero y deseó ser monje y practicar como tal. Escribió una carta en honor de Nhat Chi Mai, una de mis estudiantes laicas que se había inmolado para pedir que terminara la guerra. Escribió: «Me estoy quemando como tú. La única diferencia es que ardo más despacio». Se estaba refiriendo a que él también había entregado toda su vida para pedir la paz.

«El monje de los cocos» hizo muchas cosas para enseñar que la paz era posible. En una ocasión creó un centro de meditación en el delta del río Mekong y pidió a muchas personas que vinieran a meditar sentadas con él. Recogió por la zona fragmentos de balas y de bombas, los fundió, y forjó con el metal una campana enorme, la campana de la plena conciencia. Luego la colgó en su centro de meditación y a diario invitaba a la campana a sonar de día y de noche. Escribió un poema en el que decía: «Queridas balas, queridas bombas, os he ayudado a uniros para que practiquéis. En otra vida habéis matado y destruido. Pero en esta estáis llamando a la gente para que despierte, para que despierte a la humanidad, el amor y la comprensión». Invitaba a la campana a sonar cada mañana y cada noche. La misma campana era un símbolo de cómo la transformación era posible.

Un día fue al palacio presidencial para entregar un mensaje de paz, pero los guardias no le dejaron pasar. Al ver que hablar con ellos de nada le serviría, decidió guardar silencio. Se instaló cerca del lugar y durmió junto a la puerta de entrada del palacio. Se había llevado consigo una jaula y dentro había un ratón y un gato que habían aprendido a ser amigos. El gato no se comía al ratón. Un guardia le preguntó: «¿Por qué has venido aquí?» Y «El monje de los cocos» contestó: «Quiero mostrarle al presidente que hasta un gato y un ratón pueden vivir juntos en paz». Quería que todo el mundo se preguntara a sí mismo: si incluso un gato y un ratón pueden vivir en paz, ¿por qué los seres humanos no podemos hacer lo mismo?

«El monje de los cocos» se pasó mucho tiempo en soledad y en silencio. Su voluntad, su deseo, era ayudar a crear un ambiente más pacífico en el país. Y para conseguirlo su mente tenía que estar muy clara, sin distraerse. Tal vez algunas personas piensen que estaba loco. Pero yo no opino lo mismo. Creo que era un activista por la paz que se había establecido firmemente en su propio hogar, en la isla de su interior.

soledad

Cuando la gente oye la frase «la isla interior» suele creer que significa que deben vivir solos, apartados de los demás y del mundo. Pero esta práctica, este tipo de «vida en soledad» no significa que no haya nadie a tu alrededor, sino que te has establecido con firmeza en el aquí y el ahora. Eres consciente de todo lo que ocurre en el presente.

Usas la plena conciencia para darte cuenta de todo, de cada sentimiento, de cada percepción tuya, y también para ver lo que ocurre a tu alrededor, en tu comunidad. Estás siempre contigo, no te pierdes a ti mismo. Esta es la forma más profunda de vivir en soledad.

Practicar la soledad es estar presente en cada instante, sin apegarte al pasado, sin dejarte llevar por el futuro ni menos aún por la gente de tu alrededor. No hace falta que te vayas a vivir en medio del bosque. Puedes vivir rodeado de gente, ir al supermercado, caminar con otras personas y, al mismo tiempo, seguir disfrutando del silencio y la soledad. Como la sociedad moderna está repleta de tantas cosas que reclaman tu atención y tu respuesta, tienes que aprender a crear esta clase de soledad dentro de ti.

Pero también es bueno pasar a diario un rato solo. Tal vez pienses que solamente puedes ser feliz cuando estás con otras personas, charlando, riendo y divirtiéndote. Pero cuando estás solo puedes sentir una alegría y una felicidad tan profundas que en realidad dispondrás de mucha más para compartir. Si gozas de la profunda alegría y felicidad que te da la soledad, tendrás mucha más para dar. Si no sabes estar solo, cada vez te sentirás más vacío. Y cuando ya no puedas sustentarte a ti mismo, apenas tendrás nada para ofrecer a los demás. Por eso aprender a vivir en soledad es tan importante.

Dedica cada día un rato a estar físicamente solo, de esta forma te será más fácil sustentarte y vivir con plena atención. Aun así, esto no significa que sea imposible sustentarte y vivir con atención cuando estás rodeado de gente. Al contrario, *es* posible. Aunque estés sentado en medio de un mercado, puedes estar en soledad y no dejarte llevar por lo que ocurre a tu alrededor. Sigues siendo tú mismo, el dueño de tu ser. Del mismo modo, puedes seguir siendo tú aunque estés en medio de un grupo de gente manteniendo una animada discusión en un ambiente cargado de emociones colectivas muy fuertes. Puedes seguir a salvo, manteniéndote con firmeza en tu propia isla.

Estos son los dos aspectos de la soledad y ambos son importantes. El primero consiste en estar solo físicamente. Y el segundo, en ser capaz de ser tú mismo y de mantenerte centrado aunque estés rodeado de gente. Como te sientes a gusto estando en soledad, eres capaz de estar en comunión con el mundo. Yo me siento conectado a ti porque soy totalmente yo mismo. Es muy sencillo: para poder relacionarte con el mundo, antes tienes que volver a ti y relacionarte contigo mismo.

libérate de la energía de los hábitos

Todos tenemos en nuestro interior bloqueos procedentes de la energía de los hábitos. Esta clase de energía inconsciente nos hace repetir la misma conducta miles de veces. Nos empuja a correr de un lado a otro, a estar haciendo siempre alguna cosa, a dejarnos llevar por nuestros pensamientos sobre el pasado o el futuro y a culpar a los demás de nuestro sufrimiento. Bloquea nuestra capacidad de sentirnos serenos y felices en el momento presente.

Hemos heredado la energía de los hábitos de muchas generaciones de antepasados y seguimos alimentándola. Es muy poderosa. Somos lo bastante inteligentes como para saber que si le hacemos una determinada observación acusatoria a una persona, estropearemos nuestra relación con ella. No queremos soltársela o hacer algo en especial y, sin embargo, acabamos metidos en una situación tensa, decimos o hacemos precisamente aquello sabiendo lo destructivo que es. ¿Por qué? Porque es más fuerte que nosotros. La energía de ese hábito nos está arrastrando de aquí para allá constantemente. Por eso la práctica de la plena conciencia está concebida para liberarte de la energía de los hábitos.

Recuerdo un viaje que hice en autobús con un amigo mío a la India mientras visitábamos las comunidades dalits. Estábamos viajando juntos a muchos estados indios para ofrecer jornadas de plena conciencia, charlas públicas y retiros. El paisaje que se veía por la ventanilla era hermosísimo, con palmeras, templos, búfalos y arrozales. Yo disfrutaba mirándolo todo embelesado, pero mi amigo parecía estar muy tenso, saltaba a la vista que no estaba disfrutando del viaje. En su interior había una lucha. Le dije: «Querido amigo mío, ahora no te preocupes por nada, sé que estás intentando contentarme en todo y hacer que el viaje me resulte muy agradable, pero en este momento *soy* feliz, así que disfruta del trayecto. Relájate, sonríe. El paisaje es precioso».

Él me respondió: «De acuerdo», y luego se acomodó en el asiento. Pero a los pocos minutos vi que volvía a estar tan tenso como antes. Seguía preocupado, agitado y nervioso. No podía dejar atrás la lucha, aquella lucha que había tenido lugar durante miles de años. Era incapaz de vivir el momento presente y de sentir la vida plenamente en ese momento, lo cual era mi práctica y todavía lo sigue siendo. Lo que ocurría es que él mismo había sido un intocable. Ahora tenía una familia, un apartamento precioso y un buen trabajo, pero seguía acarreando la energía de los hábitos, el sufrimiento de generaciones de antepasados de miles de años de antigüedad. Estuvo luchando día y noche, incluso en sueños. Era incapaz de desprenderse de esa energía de los hábitos y de relajarse.

Tal vez nuestros antepasados hayan sido más afortunados que los suyos, pero muchas personas nos sentimos tan acosadas y agitadas como él. No sabemos relajarnos, permanecer en el aquí y el ahora. ¿Por qué correr y correr, incluso mientras preparamos el desayuno, comemos, caminamos y estamos sentados? Hay algo que nos está empujando y tirando de nosotros a todas horas. ¿Adónde estamos yendo a toda prisa?

El Buda habló de este problema con gran claridad. Dijo: «El pasado ya se ha ido. El futuro todavía está por llegar. Hay solo un momento en el que podéis estar realmente vivos: es el momento presente. Si lo vivís plenamente, seréis libres».

deshaz los dos nudos

Hay dos clases de nudos. El primero es el de nuestras opiniones e ideas, nuestros conceptos y conocimientos. Todo el mundo tiene opiniones e ideas, pero cuando nos apegamos a ellas, dejamos de ser libres y no podemos ver la verdad en la vida. La segunda clase de nudo es el de nuestras aflicciones y hábitos de sufrimiento, como el miedo, la ira, la discriminación, la desesperación y la arrogancia. Para ser libres tenemos que deshacer esos nudos.

Estas dos clases de nudos, grabados en las profundidades de nuestro cerebro y de nuestra mente, nos atan y empujan a hacer cosas que no queremos hacer, a decir cosas que no queremos decir. Por eso no somos libres. Cada vez que hacemos algo que no surge de nuestro deseo verdadero, sino del miedo habitual o de opiniones e ideas arraigadas, dejamos de ser libres.

Al leer este libro, al meditar, no lo haces para adquirir conceptos e ideas, sino para desprenderte de ellos. No reemplaces tus antiguos conceptos e ideas por otros nuevos. Deja de perseguir un concepto tras otro de felicidad, intercambiando una idea por otra.

Todos tenemos patrones de conducta, energías de los hábitos muy arraigados. Cada día dejamos que esas energías ocultas gobiernen nuestra vida. Actuamos y reaccionamos influidos por esas tendencias que hay en nosotros. Pero nuestra mente es flexible por naturaleza. Como dicen los neurocientíficos, el cerebro tiene plasticidad. Lo podemos transformar.

Ser capaz de detenerte y

advertir el momento presente forma

parte de la definición de felicidad. No es

posible ser feliz en el futuro. No es

una cuestión de creer en ello, sino

de experimentarlo.

———————

Cuando detienes el cuerpo, el volumen de la cháchara mental parece aumentar. Cuando detienes la cháchara mental, la constante agitación cognitiva que hay en ti, sientes una espaciosidad que te permite vivir la vida de una manera totalmente nueva y satisfactoria.

Sin espacio para el silencio no puedes ser feliz. Lo sé por haberlo observado directamente y por experiencia propia. No necesito que me lo diga el aparato de un neurocientífico. Cuando veo a alguien andando a mi lado, en general noto si esa persona es feliz o desgraciada, si está serena o agitada, si es afectuosa o áspera. Sin silencio, no estás viviendo en el momento presente y este momento es tu mayor oportunidad para encontrar la felicidad.

angulimala

En los tiempos del Buda vivía un hombre llamado Angulimala. Era un asesino en serie muy famoso. Había sufrido enormemente en la vida y estaba lleno de odio.

Un día entró en una ciudad y la gente huyó despavorida. Por lo visto, el Buda y su comunidad se encontraban cerca del lugar y aquella mañana el Buda fue a esa misma ciudad en su gira matutina para pedir limosna. Uno de los habitantes de la ciudad le suplicó: «Querido maestro, ¡es peligroso andar por la calle! Ven a nuestra casa. Deja que te ofrezca algo de comer. Angulimala ronda por la ciudad».

El Buda le respondió: «No te preocupes. Mi práctica consiste en ir por la calle y en visitar muchos hogares y no solo uno. No estoy aquí solamente para pedir mi comida diaria, sino también para entrar en contacto con la gente, para darles la oportunidad de practicar la generosidad mientras se conmueven al verme y de ofrecerles enseñanzas». De modo que el Buda no accedió a la angustiada petición de su seguidor. Tenía la suficiente calma, fuerza espiritual y valor como para seguir realizando su práctica. Y, además, antes de ordenarse monje había sido un gran experto en artes marciales.

Durante su gira mendicante el Buda sostuvo su cuenco de madera con serenidad y concentración y caminó con plena conciencia, disfrutando de cada paso. Al terminarla, mientras andaba por el bosque, oyó a alguien corriendo a sus espaldas. Se dio cuenta de que era Angulimala. Era la primera vez que Angulimala se encontraba con alguien que no le tenía miedo. Cualquier otra persona habría huido despavorida al verle, salvo los más desafortunados, los que se quedaban paralizados de miedo en el sentido literal.

Pero el Buda no reaccionó como los demás. Siguió caminando imperturbable. Angulimala estalló en cólera al toparse con alguien al que no atemorizaba. El Buda lo sabía: era consciente de la situación. Pero el pulso no se le aceleró, ni se sintió inundado por un torrente de adrenalina. Ni tampoco se puso a sopesar desesperadamente si enfrentarse a él o huir. Se mantuvo totalmente sereno. ¡Su práctica era excelente!

Angulimala, a punto de alcanzarle, le gritó: «¡Monje, monje! ¡Detente!» Pero el Buda siguió avanzando con calma, serenidad y nobleza. Era la personificación de la paz, de la valentía. Cuando Angulimala le dio por fin alcance, le soltó: «Monje, ¿por qué no te detienes? ¡Te he dicho que lo hagas!»

El Buda, caminando como si nada, le dijo: «Hace ya mucho que yo me he detenido. El que no lo ha hecho eres tú, Angulimala».

Angulimala se quedó desconcertado: «¿A qué te refieres? Dices que te has detenido, pero sigues caminando».

Entonces el Buda le explicó lo que significaba realmente detenerse. Le dijo: «Angulimala, no es bueno seguir obrando de ese modo. Sabes que estás causando un gran sufrimiento a los demás y también a ti. Tienes que aprender a amar».

«¿A amar? ¿Me estás hablando a mí de amor? Los seres humanos son muy crueles. Los odio a todos. ¡Quiero matarlos a todos! El amor no existe.»

El Buda le respondió con dulzura: «Angulimala, sé que has sufrido terriblemente y que hay mucha ira, mucho odio dentro de ti. Pero si observas a tu alrededor, verás que hay gente buena, gente afectuosa. ¿Es que no te has encontrado con algún monje o monja de mi comunidad? ¿Con alguno de mis discípulos laicos? Son todos ellos unas personas muy compasivas, muy pacíficas, nadie lo puede negar. No debes engañarte de esta manera diciendo que el amor no existe; hay personas que son capaces de amar. Detente, Angulimala».

Angulimala replicó: «Es demasiado tarde, ya es demasiado tarde para detenerme. Aunque lo intentara, la gente no me lo permitiría. Me matarían al instante. Si quiero sobrevivir, no puedo detenerme nunca».

El Buda le dijo: «Querido amigo, nunca es demasiado tarde. Detente ahora. Te ayudaré como amigo. Y nuestra *sangha* te protegerá». Al oírlo, Angulimala arrojó la espada, se arrodilló y le pidió que le aceptara en la *sangha*, en la comunidad del Buda. Y se convirtió en el practicante más diligente de la comunidad. Se transformó por completo y llegó a ser una persona sumamente pacífica, la viva imagen de la no violencia.

Si Angulimala logró detenerse, cualquiera de nosotros también puede hacerlo. No hay nadie que esté más ocupado, agitado y loco que aquel asesino. Si no nos detenemos, no encontraremos la paz del silencio. Pero correr más deprisa todavía de un lado para otro, esforzarnos con mayor empeño no nos la traerá. El único lugar donde la encontraremos es en el *ahora*. En cuanto consigas detenerte de verdad, tanto en lo que se refiere al movimiento incesante como al ruido interior, empezarás a descubrir un silencio renovador. El silencio no es una carencia, un vacío sin nada. Cuanto más espacio hagas para la quietud y el silencio, más tendrás para dar tanto a ti como a los demás.

práctica:
la isla interior

Cuando el Buda contrajo su última enfermedad, sabía que al morir muchos de sus discípulos se sentirían perdidos. Por eso les enseñó a no depender de nada exterior, a tomar refugio en la isla interior. Cuando eres consciente de tu respiración y gozas de plena conciencia, vuelves a descubrir al maestro que hay en ti señalándote con el dedo la isla interior.

Tu isla contiene pájaros, árboles y arroyos, como los de la tierra firme. En el fondo no hay separación alguna entre lo interior y lo exterior. Si no estás *ahí*, si no eres realmente tú en tu propia isla, no podrás mantener un auténtico contacto con el mundo exterior. Al estar en contacto con tu interior, también estás en contacto con el exterior y viceversa. Solo es posible mantener una conexión genuina cuando tienes suficiente plena conciencia y concentración. Volver a tu isla significa ante todo gozar de plena conciencia y concentración.

En Plum Village tenemos una canción titulada *La isla interior*. Tal vez desees usarla como meditación guiada mientras caminas o estás sentado con plena atención.

Thich Nhat Hanh

Al inspirar,
vuelvo
a la isla
de mi interior.

En la isla hay
árboles muy bellos.
Arroyos de agua
cristalina, pájaros,
luz y aire puro.

Al espirar,
me siento seguro.
Disfruto volviendo
a mi isla.

7

el cultivo de la conexión

En toda la historia de la humanidad nunca ha habido tantos medios de comunicación —móviles, mensajes de texto, correos electrónicos, redes sociales— como en la actualidad. Entre los miembros de las familias, entre los miembros de la sociedad y entre las naciones hay muy poca comunicación auténtica.

Como civilización no hemos cultivado sin duda el arte de escuchar y de hablar en un grado satisfactorio. No sabemos escucharnos de verdad los unos a los otros. La mayoría de las personas apenas tienen la valiosa habilidad de expresarse o de escuchar a los demás de forma abierta y sincera. Cuando no sabemos comunicarnos, la energía se bloquea en nuestro interior y nos hace enfermar, y a medida que nuestras enfermedades aumentan, sufrimos, y nuestro sufrimiento afecta a los otros.

Si quieres estar más conectado con los demás no hace falta que les mandes más mensajes de texto, simplemente escúchales con mayor atención. La escucha profunda lleva a la comprensión. La comprensión lleva a una mayor conexión. Escuchar con más atención no es una cuestión de esforzarte más, sino de dedicar un tiempo a una práctica que empieza con el silencio, es decir, por aquietar tu Radio del Pensar Sin Parar.

la plena conciencia
te permite estar conectado

Todos deseamos conectar con los demás y muchas personas intentan comunicarse a través del móvil o el correo electrónico. Sienten un placer neuroquímico cuando alguien les envía un mensaje de texto o un correo. Y se ponen nerviosas cuando no tienen el móvil cerca.

Yo no tengo móvil, pero no me siento desconectado de mis amigos y mis estudiantes. Pienso en ellos a menudo. Les escribo cartas en papel de verdad con un bolígrafo de verdad. Escribir una carta de una página a un amigo me lleva su tiempo —a veces varios días o una semana—, pero mientras tanto, ¡dispongo de mucho tiempo para pensar en él! También tengo amigos que vienen a verme. No hablamos con tanta frecuencia como si me llamaran por teléfono, pero cuando estamos juntos valoramos realmente el tiempo que compartimos. Les observo y escucho con gran atención; sus palabras son muy valiosas para mí, porque sé que tardaré un tiempo en volver a verles.

¿Has estado alguna vez con un buen amigo con el

que ni siquiera te hace falta hablar? Para mí es la clase más profunda de amistad: una amistad espiritual. Es como un mirlo blanco. Un buen amigo espiritual es en cierto modo tu maestro. Un maestro de verdad es una persona libre que no le teme al silencio. No necesita que le *llamen* maestro y puede ser más joven que tú. Si tienes un buen amigo espiritual en tu vida, aunque solo sea uno, eres muy afortunado. Se dice que encontrar a un buen amigo espiritual es algo tan inusual como la aparición de la flor de udumbara, un acontecimiento que se da solamente una vez cada tres mil años. (El nombre botánico de la flor de udumbara es *Ficus glomerata*; pertenece a la familia de la higuera.)

Cuando encuentras a un buen amigo espiritual debes saber cómo beneficiarte de su amistad. Esa persona posee conocimiento iluminado, felicidad y libertad, y puedes tomar refugio en ella mientras riegas tus semillas de conocimiento iluminado y de libertad. Al final descubrirás que no necesitas demasiados placeres emocionales o materiales. Que no necesitas que tu amigo espiritual te felicite o te llame por teléfono a diario. Ni tampoco que te haga regalos o te dé un trato especial.

Aprovecha el tiempo al máximo. Si lo malgastas en expectativas triviales, no aprovecharás los auténticos regalos de un amigo espiritual. Puedes adquirir una sabiduría valiosísima observando cómo actúa en distintas circunstancias. Experimentar por ti mismo el conocimiento iluminado del que goza. No hace falta que estés pegado a su lado todo el día ni que le presiones para que te tenga en cuenta y esté pendiente de ti. Saborea simplemente su presencia sin necesitar que haga ni que te dé nada.

Un buen amigo espiritual puede ser cualquier persona, incluso la que menos te esperas. Pero cuando encuentras a uno, sientes una felicidad inmensa.

sustenta un afectuoso silencio

Si vives con alguien, conocerás la clase de agradable silencio que surge al estar acostumbrados a la presencia del otro. Pero si no lo cuidas, este ambiente tan placentero hará que no valores como es debido a tu pareja. Antoine de Saint-Exupéry, autor de *El principito*, escribió: «El amor no consiste en mirar al otro, sino en mirar juntos en la misma dirección». ¡Y no creo que se estuviera refiriendo a estar sentados juntos en una habitación mirando la televisión!

Quizá la razón por la que estás mirando la televisión con tu pareja es porque ya no disfrutáis tanto como antes al miraros el uno al otro. Cuando os conocisteis por primera vez, tu futura pareja te pareció encantadora. Un ángel caído del cielo que había aparecido de pronto en tu vida, y os dijisteis el uno al otro: «No puedo vivir sin ti». Escuchar la voz de tu pareja era como escuchar un delicioso gorjeo, verla era como contemplar el sol al despuntar el alba. Pero ahora ya no os hace felices escucharos ni miraros mutuamente. Tal vez hayáis discutido demasiado y ya no sabéis cómo reconciliaros y volver a ser felices. Si seguís mirando la televisión en lugar de encontrar el modo de volver a conectar, las cosas no harán más que empeorar año tras año.

Una periodista de la edición francesa de la revista *Elle* vino en una ocasión a entrevistar a las hermanas de New Hamlet en Plum Village. Un día, mientras la periodista estaba hablando con ellas, fui a hacerles una visita y ella aprovechó la oportunidad para entrevistarme. Quería que le hablara de la meditación y la plena conciencia. Pero me sentí inspirado a ofrecerle otro tipo de ejercicio práctico. Esto es lo que les propuse que practicaran a las lectoras de *Elle:*

Esta noche, después de cenar, cuando tu marido conecte el televisor, respira hondo para calmar tu cuerpo y tu mente, y dile sonriendo: «¿Querido, te importaría apagar el televisor? Me gustaría hablar contigo de una cosa». Díselo con afecto. Él quizá se irrite un poco al creer que vas a ponerte a discutir.

Cuando lo haya apagado, dile sonriendo aún: «Querido, ¿por qué no somos felices como pareja? No nos falta nada. Los dos ganamos un buen sueldo, tenemos una casa preciosa y suficiente dinero en el banco. ¿Por qué entonces no somos felices? ¿Podríamos meditar unos minutos sobre ello? Al principio de nuestra relación éramos felices. Me gustaría que hablásemos para averiguar por qué ahora ya no lo somos, así las cosas nos irán mejor».

Esto es meditar. Esto es una meditación auténtica. Normalmente culpamos a la otra persona de lo que nos ocurre, pero en cualquier relación *ambas* son corresponsables del rumbo que toma. Ni la una ni otra la saben cómo sustentar el amor y la felicidad. La mayoría de las personas no saben qué hacer con el sufrimiento ni cómo ayudar a su pareja a afrontarlo. Por eso les dije a las lectoras de *Elle* que para ser una influencia útil y positiva en su relación de pareja debían estar preparadas para decir algo como: «He cometido errores. He pensado, hablado y actuado de tal modo que he estropeado nuestra felicidad y nuestra conexión».

Cuando descubras que la relación con tu pareja no va bien, tienes que volver a ti y observar atentamente la situación. Si adviertes que tu modo de pensar, hablar y actuar ha sido perjudicial para tu relación, le puedes decir a tu pareja que lo sientes. Con sinceridad y plena conciencia le expresas tu deseo de empezar de nuevo.

La práctica que describí a la periodista se puede realizar en cualquier hogar. Consiste en apagar el televisor y compartir lo que sientes con tu pareja. Hablando con toda normalidad observáis a fondo la situación en la que se encuentra vuestra relación. Tal vez desees iniciar esta clase de conversación.

Cuando los dos miembros de una pareja están sufriendo y miran en la misma dirección, no debería ser la del televisor. Los verdaderos amantes deberían mirar en la dirección de la paz. Todos necesitamos sustentar nuestro amor y ayudarnos los unos a los otros a afrontar nuestro propio sufrimiento, el de nuestra pareja, el de nuestros amigos y el del mundo. Estamos rodeados de gente que sufre y tenemos que darle todo nuestro apoyo. Esto es posible. Y siempre que aliviamos el sufrimiento de alguien, somos más felices.

En los retiros de Plum Village siempre asisten parejas que están al borde de la ruptura. Participar en él es su última oportunidad para arreglar la relación. Y cada vez después de un retiro de cinco, seis o incluso siete días, siempre hay parejas que acaban reconciliándose al haber sustentado su felicidad.

Tú y tu pareja sois amantes, podéis soñar, pensar y actuar de una manera que ayude a los demás a sufrir

mucho menos. En cuanto sepáis cómo alimentar la felicidad y manejar tanto vuestro propio sufrimiento como
el de vuestra pareja, ambos podréis dedicaros a ayudar a
los demás. Mirar en la misma dirección es esto. Consoli-
da y aumenta vuestra felicidad.

la música del silencio

En la música hay momentos de «pausa». Si esos espacios no
estuvieran ahí, sería un desastre. Si no hubiera esos momentos de silencio la música sería caótica y opresiva. Cuando nos sentamos en silencio con un amigo sin decir nada,
esos momentos son tan valiosos e importantes como la ausencia de notas que la música necesita. El silencio compartido entre amigos es mejor incluso que hablar.

Trinh Cong Son fue un cantautor muy querido por
todo el mundo que nació en 1939. Le llamaban «el Bob
Dylan de Vietnam». Se dice que cuando murió en el año
2001, miles de personas acudieron al concierto espontá-
neo que hubo en su funeral. Fue el funeral más concurrido de toda la historia vietnamita después de la procesión
fúnebre de Ho Chi Minh.

A Trinh Cong Son le agotaba el ruido, incluso el de los
vítores y aplausos. Le encantaban los momentos silencio-
sos. Escribió: «Tengo algunos amigos cuya presencia es

como la de las pausas musicales. Me producen una sensación de sosiego, libertad y dicha. Con ellos no necesito hablar de banalidades. Estando simplemente a su lado me siento yo mismo, me siento a gusto». Trinh Cong Son disfrutaba de esos momentos en los que, sentado con un amigo sin tener que hacer ni decir nada, sentía el calor de la amistad. Todos necesitamos una amistad como esta.

En Plum Village nos gusta mucho meditar sentados, sobre todo como comunidad, como familia espiritual. Mientras meditamos sentados no hablamos y, sin embargo, muchos de los participantes sienten que meditar sentados con tres o cuatro personas es más gozoso que hacerlo solo. Sentados en quietud juntos de esta manera, sustentados por la presencia de los demás.

La clásica *Canción acompañada de laúd* de la música tradicional antigua vietnamita narra la historia de una mujer que deja de pronto de tocar el laúd. La canción dice: «*Thu thoi vo thanh thang huu thanh*». *Thui thoi* significa «en este instante». *Vo thanh* quiere decir «el sin sonido». *Thang* significa «triunfar sobre» y *huu thanh*, «la presencia del sonido». La canción está diciendo que en ese instante cuando el laúd deja de sonar «el sin sonido triunfa sobre el sonido» o «el sonido lleva al silencio». Ese espacio entre las notas es muy poderoso, poderosísimo, y muy significativo. Es más elocuente que cualquier sonido. El sin sonido puede ser más placentero, más profundo que el sonido. Trinh Cong Son también opinaba lo mismo.

Uno de mis estudiantes estadounidenses me dijo que David Sanborn, un saxofonista americano, también había hecho un comentario muy parecido durante una entrevista. Refiriéndose a Hank Crawford, su compañero saxofonista, y a Miles Davis, el famoso trompetista-compositor, afirmó: [Hank] sabe que los espacios vacíos son tan importantes como la música que interpreta… Y cuando oigo tocar a Miles Davis, me fascina… su simplicidad y su uso de los espacios sin llenar».

ananda y la música de las relaciones

Las relaciones y la comunicación también son una especie de música. Cuando estés con tus amigos no hace falta que habléis. Basta con que os entendáis y disfrutéis de vuestra presencia mutua. Estoy convencido de que durante aquellos años espantosos en Vietnam, el gran consuelo de Trinh Cong Son fueron los momentos que compartió en silencio con sus amigos. Pero si una persona no sabe comportarse de ese modo, si solo sabe servirse una copa tras otra, no gozará de esta clase de momentos.

En una ocasión cuando el Buda estaba en el monasterio de Jetavana en India, mientras los doscientos monjes residentes se preparaban para realizar el retiro anual de la estación de lluvias, llegaron trescientos monjes de Kosambi. Los monjes, alegrándose mucho de reencontrarse con sus compañeros, se pusieron a charlar animadamente. Al oír el ruido desde su habitación, el Buda le dijo a Sariputra, su discípulo más antiguo:

—¿Qué es todo ese alboroto?

Sariputra respondió:

—Son los hermanos que han llegado de Kosambi y que están celebrando el reencuentro con los otros monjes. Están haciendo mucho ruido y barullo y perdiendo el estado de plena conciencia. Te ruego que les perdones.

El Buda repuso:

—Si van a armar tanto jaleo es mejor que se vayan a otra parte. No pueden quedarse aquí.

El Buda quería enseñar a los monjes cómo usar su energía de una forma más consciente y significativa.

Sariputra anunció a los monjes lo que el Buda le había dicho. Estos, callándose de golpe, se dirigieron a otro lugar cercano a hacer su retiro de la época de lluvias. A lo largo de los noventa días de retiro se acordaron de lo que el Buda les había enseñado sobre no dejarse llevar por las conversaciones banales. Cultivaron la plena conciencia y la concentración con entusiasmo y al final del retiro habían experimentado una gran transformación. No me refiero a que se volvieran más circunspectos, serios y comedidos, sino que en realidad sus caras eran más alegres y sus sonrisas más frescas.

Al terminar el retiro los monjes querían regresar al monasterio para darle las gracias al Buda por su observación. Cuando Sariputra se enteró, le dijo al Buda:

—Querido maestro, los monjes han terminado el retiro y desean venir para ofrecerte sus respetos.

El Buda permitió que los monjes entraran en su estancia y les dio la bienvenida uniendo las palmas de las manos.

Alrededor de las siete de la tarde, trescientos monjes de Kosambi y un par de centenares de monjes residentes se sentaron con el Buda en una gran sala de meditación. El maestro y los discípulos estuvieron sentados juntos en silencio desde las siete hasta la medianoche sin decir una sola palabra.

Ananda, el ayudante del Buda, se acercó a él y le dijo:

—Querido y respetado maestro, ya es medianoche. ¿Hay algo que quieras decir a los monjes?

El Buda no respondió y entonces todos siguieron meditando hasta las tres de la madrugada, sentados juntos en silencio. Su ayudante Ananda estaba un poco perplejo.

—Ya son las tres de la madrugada —insistió—. ¿Hay algo que quieras decir a estos monjes?

Pero el Buda siguió meditando en silencio con todos sus discípulos.

A las cinco de la mañana Ananda volvió a acercarse a él.

—Querido maestro, el sol está saliendo. ¿Es que no les vas a decir nada a los monjes?

El Buda por fin habló.

—¿Qué quieres que les diga? ¿Es que no te basta con el maestro y los discípulos meditando juntos serenos y felices?

Advertir y apreciar la presencia de los demás les producía una gran dicha. Aunque la experiencia careciera de sonidos, era infinitamente más valiosa que la presencia de cualquier sonido.

juntos en silencio

En la vida cotidiana muchas personas interactuamos con otras todo el día. La plena conciencia nos permite conectar siempre con una soledad interior que es muy refrescante. Como he mencionado antes, la soledad no la encuentras viviendo solo en una cabaña escondida en la espesura de un bosque ni aislándote de la civilización, aunque esto es sin duda una clase de retiro espiritual que puedes llevar a cabo.

La soledad auténtica surge de un corazón

estable que no se deja llevar por la gente,

ni por el dolor sobre el pasado,

las preocupaciones sobre futuro, ni la excitación

y el estrés causados por el presente.

———————

De ese modo no nos perdemos a nosotros mismos ni perdemos el estado de plena conciencia. Tomar refugio en nuestra respiración consciente, volver al momento presente, es tomar refugio en la isla bella y serena que hay en nuestro interior.

Podemos disfrutar estando con otras personas sin dejarnos llevar por las emociones ni aferrarnos a las percepciones. En su lugar, vemos a los demás como nuestro apoyo. Cuando vemos a alguien moviéndose con atención plena, hablando con afecto y disfrutando de su trabajo, esa persona nos recuerda que debemos volver a la fuente de donde surge la plena conciencia. Cuando vemos a alguien que está distraído y disperso, ese estado también puede ser la campana de la plena conciencia que nos recuerda que debemos conectar con diligencia con nuestra verdadera presencia, gozando de ella y ofreciéndosela al mismo tiempo a los demás. Tal vez la otra persona al notar la cualidad de nuestra presencia sienta también el deseo de volver a sí misma.

Cuando disfrutamos del tiempo que pasamos con las personas que nos rodean y no nos dejamos llevar por nuestras interacciones, dondequiera que estemos podremos sonreír y respirar en paz, morando satisfechos en nuestra isla interior.

Disponer de una comunidad que apoye tu práctica diaria es esencial. Si tienes la oportunidad de meditar sentado con otras personas y dejar que la energía colectiva de la plena conciencia envuelva tu sufrimiento, serás como una gota de agua en un río inmenso y te sentirás mucho mejor.

Lo más valioso que podemos darnos unos a otros

es nuestra presencia, que contribuye a

la energía colectiva

de plena conciencia y de la paz.

Podemos meditar sentados por los que no

pueden meditar sentados, meditar

caminando por los que no

pueden meditar caminando,

crear quietud y paz en nuestro interior para los

que carecen de quietud o de paz.

———————

En esta clase de ambiente no tendremos que hacer nada para que nuestros nudos internos se aflojen y deshagan.

Curarse a uno mismo y curar al mundo es posible con cada paso despierto, con cada respiración despierta.

los hábitos colectivos

La conciencia colectiva puede ser un alimento tóxico o uno saludable. Los hábitos colectivos de la mente, el habla y la acción también pueden ser sanos o malsanos. Si hacemos la promesa juntos —como grupo de trabajo, como familia o como amigos— de respirar de manera consciente antes de ponernos al teléfono, o de hacer una pausa y escuchar con atención al oír el sonido de una campana, el timbre del teléfono, el tic-tac de un reloj, una sirena o un avión sobrevolando por el lugar donde estamos, estos hábitos colectivos se vuelven beneficiosos.

Los hábitos colectivos son muy poderosos. Podemos apoyarnos unos a otros dejando atrás los hábitos antiguos y poco sanos y tomar una mejor dirección. Juntos podemos detener los pensamientos y centrarnos en la respiración. Apoyarnos para inhalar con suavidad concentrándonos en ello, y para exhalar suavemente prestando atención a la exhalación. Es algo muy sencillo y muy eficaz a la vez. Si todas las personas del grupo dejan de pensar y respiran juntas siendo conscientes, dejan de ser en el acto seres aislados para convertirse en una comunidad gozosa. No actúan como una serie de cuerpos separados, sino como una comunidad, como un superorganismo. Se genera un nivel nuevo de energía incluso más poderoso que la energía producida cuando respiramos o caminamos solos con plena atención.

Al dejar que tu cuerpo se relaje y que penetre en tu interior la energía colectiva de la plena conciencia y de la concentración, la curación se da fácilmente. Cuando te sientas frustrado, abrir el cuerpo y la mente y dejar que la energía colectiva de la plena conciencia y de la concentración te envuelva es extremadamente curativo.

sustentando a los demás

Puedes aprender a generar un silencio poderoso y curativo no solo en tu familia o incluso en el grupo de práctica local del que formas parte, sino también en tu comunidad más amplia. Si eres profesor, deberías saber cómo sustentar esta clase de noble silencio renovador en tu clase. Si eres un hombre de negocios o el líder de una comunidad, puedes proponer empezar cada reunión o jornada laboral con este tipo de silencio.

Cuando en 1997 estaba en India, visité al presidente del Parlamento y le propuse que presentara en sus sesiones legislativas la práctica de escuchar la campana, respirar y sonreír. Le sugerí que los miembros del Parlamento empezaran cada sesión respirando conscientemente y escuchando el sonido de la campana. Le aconsejé que cada vez que las discusiones se volvieran acaloradas, cuando las personas no fueran capaces de escucharse las unas a las otras, invitaran a la campana a sonar para que todas dejaran de hablar y respiraran de manera consciente para tranquilizarse antes de discutir de nuevo y de escuchar a las demás. A los diez días formó un comité ético para que supervisara la aplicación de esta clase de práctica civilizada en el Parlamento.

Si creamos pequeños momentos de espaciosidad en las distintas actividades de nuestra vida para que se dé esta clase de silencio, experimentaremos la máxima libertad. Dejaremos de perseguir una buena posición social o la fama esperando que estas cosas nos hagan felices. Podemos ser felices en *este preciso instante*. Podemos gozar de paz y alegría en este mismo momento. Aunque hubiéramos estado inmersos en una actividad febril toda nuestra vida y solo nos quedaran dos minutos antes de morir, en esos momentos podríamos detener nuestros pensamientos, respirar conscientemente y encontrar la quietud y la paz. Pero ¿por qué esperar a hallarte en el lecho de muerte para mantenerte presente y atesorar el milagro de estar vivo?

práctica:
medita sentado sin más

A veces la gente dice: «¡No te quedes sentado de brazos cruzados. Haz algo!» Te está instando a actuar. Pero a los practicantes de la plena conciencia les gusta decir: «¡No hagas nada, quédate sentado ahí sin más!» La no acción también es en realidad acción. Hay personas que no parecen hacer gran cosa, pero su presencia es crucial para el bienestar del mundo. La cualidad de su presencia hace que estén realmente ahí para los demás y para la vida. Para ellas la no acción es hacer algo. Quizá te descubras un día deseando sentarte sin hacer nada, pero cuando se te presenta la oportunidad no sabes cómo disfrutar del momento.

Esto te ocurre sobre todo porque nuestra sociedad siempre está persiguiendo objetivos. Normalmente tendemos a tomar una determinada dirección y a tener un objetivo en la mente. Pero en el budismo el «sin objetivo» iluminado inspira un gran respeto. Esta enseñanza afirma que no tienes por qué poner nada frente a ti y perseguirlo, porque en tu interior ya lo tienes todo. Lo mismo ocurre con la meditación sedente. No medites para alcanzar un objetivo. Cada momento de meditar sentado te lleva de vuelta a la vida. Sea lo que sea lo que estés haciendo, tanto si estás regando el jardín, cepillándote los dientes o lavando los platos, procura hacerlo «sin objetivo» alguno.

Está bien pedir un deseo, tener una meta.

Pero no dejes que se convierta en

algo que te impida vivir

felizmente en el aquí y el ahora.

———————

Meditar sentado en silencio puede ser una actividad maravillosa hecha sin objetivo alguno. También puedes hacer una meditación guiada sin intentar alcanzar ninguna meta. La siguiente meditación te ayudará a cultivar la espontaneidad, el frescor, la estabilidad, la claridad y la espaciosidad.

Al inhalar, sé que estoy inhalando.
Al exhalar, sé que estoy exhalando.
(Inhalando. Exhalando.)

Al inhalar, me veo como una flor.
Al exhalar, me siento fresco.
(Flor. Fresco.)

Al inhalar, me veo como una montaña.
Al exhalar, me siento estable.
(Montaña. Estable.)

Al inhalar, me veo como el agua en calma.
Al exhalar, lo reflejo todo tal como es.
(Agua. Reflejando.)

Al inhalar, me veo como el espacio.
Al exhalar, me siento libre.
(Espacio. Libre.)